地域から創る民主主義

福岡からの発言

宮下和裕著

自治体研究社

はしがき

本書は、前著『憲法を守り活かす力はどこに・・希望としての地方自治ＰＡＲＴⅢ』（２０１５年６月）以降の、ここ３年間の論考を中心に収録したもので、筆者としては６冊目の論集となる。公益社団法人 福岡県自治体問題研究所（１９７７年設立）の専従事務局として活動するなかで、必要に迫られて所報「月刊・福岡の暮らしと自治」に、書きつづってきたものが大半である。

前著以来の問題意識としては、「危機とも転換ともなりうるせめぎあいの新しい時代」という宇野重規・東大教授（政治学）の表現を、中期的な時代状況を示す言葉として受け止め、６年前から多用させていただいてきたが、そうした「新しい時代」を、「いかにして切り拓いていくのか」ということを、自らの課題ともしてきた。その一応の到達点、中間報告が本書でもある。

１９６０年代の中葉から、青年学生として現実社会との格闘を始めて、早や50年以上の歳月を重ねている。その間、ベトナム戦争、大学の民主化・暴力の一掃、憲法・

地方自治の擁護と拡充、ＰＴＡや町内会・自治会、大型団地での駐車管理、マンション管理組合など身近な地域での活動、災害からの復旧・救援、住民自治による地域づくり、引き揚げ港博多の市民・平和運動、日韓交流、子育てや老親介護など様々な課題に直面してきた。また世界的には、ソ連と「社会主義」世界体制の崩壊という事態にも立ち会ったが、多くの先達、同輩、後輩の方々に導かれながら、民主主義を守り勝ちとるという課題に立ち向かってきた。

こうして70歳を超えた今、本書は内容的にも、未来社会論も含めて、私のささやかな人生を決算する、ひとつのレポートともなっている。

そういう意味もあって50年前の小論も原文のまま4点、例外的に第3章の補足資料として収録させていただいた。

本書には収録していないが、民主主義を擁護するという点では、学生時代の「研究ノート　民主主義と日本革命…民主主義を守り勝ちとる闘争のもつ革命的意義について」（1969年9月脱稿、九大同窓生の会『民主評論　まつばら』創刊号に掲載、1970年6月発行）が、いささか大げさな題名ではあるが、私の著作上の原点である。

この間、取り組んできた地方自治の問題も、実は民主主義の問題であり、民族自決権も民族問題における民主主義の問題である。また長年主張してきたことだが、日本国憲法の全体系と「第八章　地方自治」の関係を、一言でいえば、「まともな地方自治がなければ、憲法三原理は絵に描いた餅になる」ということに尽きる。いうまでもなく憲法三原理とは、国民主権、平和主義、基本的人権の尊重の三つでのことで、いわばこの憲法三原理を保障する土台としての地方自治は位置づけられ、そういうものとして日本国憲法の全体系上の「第八章　地方自治」の存在が規定されているわけである。そして、いうまでもないことであるが地方自治・民主主義は、軍事独裁政権とも両立しない。

本書の第3章 第2節でも結論的に述べているが、「必要な『永続革命論』的な見方、民主主義（「民衆の支配・民主政」ということ）は永遠の課題。自分の頭で考えるということ、連帯。各世代での体験の積み重ねと継承・伝統、『人間を大切にする精神』、社会的規範の形成が重要」と考える。

先の研究ノートは、当時の時代的制約から免れているものではないが、「米軍機墜落と米軍板付基地撤去運動 ―― 米軍ジェット機九大墜落50周年・学徒出陣75周年記念集会――に寄せて」（私家版、2018年6月、翌年6月に補遺版）に全文コピーによる復刻版を収録しているので、御笑覧いただければ有り難い。

この50周年記念集会の翌年の51周年には、九大教職組・学友会などからなる学内共闘組織であった旧九大四者共闘系と、旧反戦系の方々とで協力して「九大ファントム墜落51年、辺野古が問いかけているもの　6・2集会」という統一集会が、36名の関係者が呼びかけ人となり開催された。このことは大学闘争50年後の、主要大学の一つでの組織的、大掛かりな統一・共同集会が実現したということで、全国的にも珍しい、特別の意義を持つものであり、市民連合などの今日の野党共闘の動きともつながる、貴重な実践ではないかと思われる。今後も辺野古・沖縄問題での継続的な取り組みが、検討されている。（詳細は本書第3章で紹介）

最後に一言。「今だけ・金だけ・自分だけ」、これは最近の毎日新聞（19・12・22）に掲載された藻谷浩介・日本総合研究所研究員の、安部政権への鋭い批判的論説の見出しだが、いたく共感した。「今だけ・金だけ・自分だけ」の塊《かたまり》のような安倍政権の最期を、われわれ主権者・国民の覚醒によって見届ける2020年としたいものである。

わが研究所は、会員の手弁当によって支えられた弱小団体ながら、昨年12月でもって「月刊・福岡の暮らしと自治」の504号・満42年間の定期（定日）発行を達成することができた。本書を初代理事長の内田一郎・九大名誉教授（故人、土木工学）を始め、研究所を生み育てていただいた諸先達、元会員、現会員の方々に捧げる。

2020年1月3日
佐賀県基山町 城ノ上の寓居にて
宮 下 和 裕

〈付記〉本書でたびたび登場する「（福岡）みやしたメールじょうほう」とは、8年ほど前に私が始めた友人、知人あてのインターネット・メールによる個人的な通信のことです。

目次

第三章　九大への米軍機墜落・板付基地撤去運動と50年後の今

第一章

吉野作造と現代民主主義

―吉野作造記念館を訪問して―

一．なぜ吉野記念館訪問か

＊本稿は２０１７年４月27日に研究所で開催された情報と人権研究会での報告（レジメがＡ３で２枚、資料が同じくＡ３で19枚）のうちの、レジメ部分に加筆したものです。

去る（２０１７年）２月25日に、宮城県大崎市にある吉野作造記念館を訪問した。その目的は、本紙昨年10月号に掲載された金子勝・立正大学名誉教授の「日本国憲法の間接的起草者　鈴木安蔵──吉野作造氏の教導ありて」は、もともと同記念館の「戦後70周年記念　日本国憲法の誕生と吉野作造・前期展」のオープニング講演であり、その講演録を収録した『吉野作造研究』第12号を転載させていただいたうえに、その後本年１月、当研究所が編集発行したブックレット『自由を愛し平和を貫くために─21世代への伝言』への再収録にも、快諾いただいたことへの御礼訪問であった。

あわせて日本の政治学史、大正デモクラシー、民主主義運動に輝く吉野作造の業績の一端に触れ、勉強したいとの個人的な希望もあった。

今回の所報掲載、ブックレットへの収録は、金子勝先生（立正大学名誉教授）から、私へ『吉野作造研究』第12号の抜き刷りを送っていただいたことがきっかけであったが、「日本国憲法の間接的起草者」である鈴木安蔵の岳父は、吉野の第二高等学校（旧制、戦後は東北大学教養部、仙台市）時代の同級生で、キリスト教での先輩にもあたる

「戦後70周年記念　日本国憲法の誕生と吉野作造」前期展」の展示目録（右上が吉野作造、左中が鈴木安蔵）

栗原基であった。この岳父の紹介によって死期が迫っていた吉野の、京大の学生時代に治安維持法第一号事件の犠牲者となり、大学からも追われて以来著書も相次いで発禁処分を受けるなど、苦闘していた鈴木への個人教授が実現したこと、それが科学としての鈴木憲法学が成立するうえで、大きな意味のあるものであったことを、金子先生の講演録で私は、初めて知った（詳細は「福岡の暮らしと自治」の16年10月号あるいはブックレットを参照）。

ちなみにブックレットのタイトル『自由を愛し平和を貫くために』も、同館の「戦後70周年記念・後期展」（オープニング講演は樋口陽一・東大名誉教授）のキャッチコピーを、快諾をいただいて拝借したものである。

二．スライドで見る吉野作造と記念館

（一部のみ掲載）

＊吉野作造は郷土・古川市民の誇りであり、その結果95年に地域の力で建設。芸術家・文化人の記念館はよくあるが、この手のものは珍しい。吉野もこよなく愛した故郷・古川市は、平成の大合併で大崎市となったが、吉野の号は「古川学人」。記念館は２００１年までは旧古川市が運営、現在は「ＮＰＯ法人古川学人」が指定管理者として管理・運営にあたる。祥雲閣（当地の名望家の青沼家が、村民の憩いの場として明治時代に造った荒雄公園の貴賓館）・公園・荒雄神社と一体の敷地内に存在。

三．吉野作造の足跡

（資料①ウィイキペディア「吉野作造」・②略年表…掲載省略）

＊１８７８（明治11）年1月に宮城県志田郡大柿町（現大崎市古川十日町）に生まれ、１９３３（昭和８）年３月、療養中の神奈川県逗子市で逝去、55歳。古川尋常小学校（現古川第一小学

記念館収蔵資料の
案内冊子

玄関横に立つ
吉野作造記念碑

吉野作蔵記念館の玄関

展示コーナー

記念館の受付カウンターの中心に展示して
販売中であったブックレット「自由を愛し
平和を貫くために」

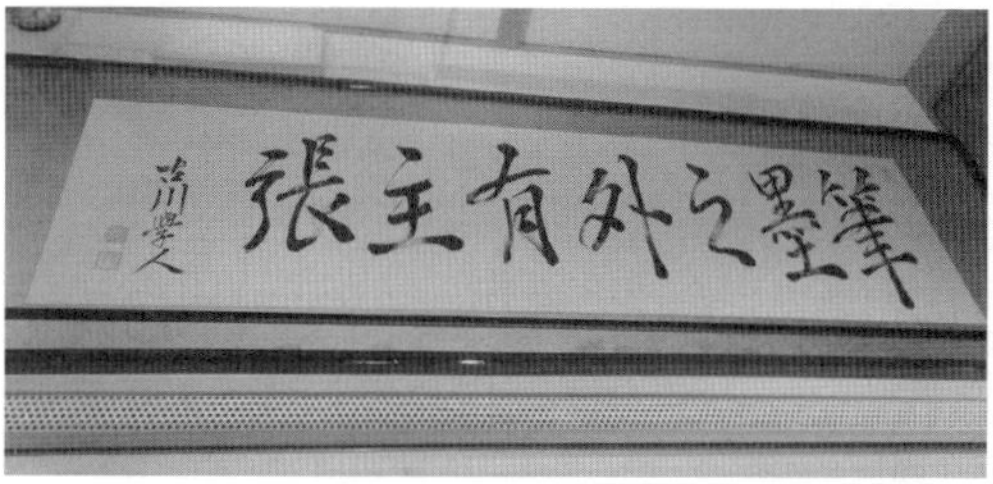

吉野作造の書額

この間お世話いただいた
小嶋翔学芸員（右）筆者（左）

校）、宮城県尋常中学校（現仙台一高）、第二高等学校（戦後東北大学教養部）、東京帝国大学法科大学を経て、政治学研究者の道を歩む。

＊研究者・教育者（教え子への面倒見の良さは特筆すべき）・言論人・評論家・啓蒙的社会教育家（1918年（大正7）黎明会を福田徳三・佐々木惣一・大山郁夫らと結成、20年（大正9年）、経済学者・森本厚吉、作家・有島武郎と文化生活研究会を結成し出版にも取り組む。）・人道主義的社会運動家・キリスト教青年会・留学生支援（国際民主主義）・労働運動支援（鈴木文治の友愛会）・政党（27年の社会民衆党結成に奔走、1932（昭和7）年の無産政党の合同・社会大衆党（安部磯雄委員長）の結成の産婆役・購買組合（生協）・賛育会などの福祉・医療 etc

○平和主義・反軍国主義（明治憲法下では軍の統帥が一般の国務外とされ、軍が閣議を経ず直接天皇に上奏するため、軍部の横暴を許す根源となったいわゆる「帷幄《いあく》上奏」問題の追及は特筆すべき）を掲げ現実と果敢に向き合った。大正デモクラシーを代表する研究者・思想家、言論人、運動家としての旗手、スケールの大きな巨人。

＊理想主義者で、恩師の小野塚は実証主義、弟子の蝋山正道は批判主義（若い時、戦後は民社党の理論的支柱）と並び称された。

＊主張も行動も勇敢であり、権力からは憎悪された…18年11月・浪人会との立会演説会、関東大震災後の憲兵・甘粕による大杉栄殺害の後、自害しようとした甘糟を、吉野など残党も殺ってから死んでも遅くない、そのためにここで自害するなと思いどどまらせた、との趣旨の「甘糟大尉」という野村昌靖の琵琶歌が、憲兵の機関誌「軍事警察雑誌」（1924年1月号）に掲載されている。吉野も「悪者扱いさるる私」

（1924年）でこのことを紹介し、「怪我もしないでまだ無事なのは僥倖だ」と述べている。大震災時に警視庁官房主事であった正力松太郎も同様の証言をしている。この時、有名な朝鮮人の大虐殺がおこなわれ、亀戸事件では川合義虎・共産青年同盟委員長らも虐殺されている。

＊「国家学会雑誌」…これは「国家に須要な学術の理論及び応用」（大学令）という、いわゆる帝国大学の設立目的・存在意義がネーミングに反映した東大法学部政治学科の学会誌の名前。政治学初代教授の小野塚喜平治はデモクラシーを「衆民主義」と訳す、日本政治学の祖。政治とは国家統治の技術に止まらず広く国民生活に影響する活動としたのは見識だが、その教え子が吉野で、1913年に政治史講義の初代担当へ、翌年教授。最初の教え子の一人が矢内原忠雄。吉野の政治史講座の継承者は岡義武で、吉野が辞職して朝日新聞入社、すぐに攻撃を受けて退社した困難時の吉野の講義録（2016年・岩波書店）を残している。ヨーロッパの同時代史の解説・評論が講義内容。ちなみに報告者・宮下は具島兼三郎・九大教授の最後の教え子の一人だが、具島先生の恩師の今中次麿、佐々弘雄らの先生が吉野作造であった。吉野は教授辞職後も法学部講師として研究室を与えられ、政治史の講義を引き続き担当している。

四．学んだこと、考えたこと

＊時代の子として、発展途上人であった
○民本主義を提唱した「憲政の本義を説いてその有終の美を済すの途を論ず」（中央公論・1916（大正5）年1月号に掲載）…昨年（1916年）1月号の中央公論の特別付録として100周年記念の完全復刻版が発行された。資料③参照（掲載省略）この1916年

はロシア革命の前年にあたり、2年前に１００歳目前に亡くなった報告者の父親は、この１９１６年2月に誕生。

○「民本主義の意義を説いて再び憲政有終の美を済すの途を論ず」（１９１８年1月号）…「民本主義」は吉野の造語ではなく既に使われていた（茅原崋山ほか）。その後、吉野は「デモクラシー」と英語をそのまま使うようになった。現代では「民主主義」が常識語で、「死語」となった民本主義。当時、最高の知識による運用、民意（普通選挙）に基づく政権交代の制度化が「憲政の常道」とされた。

＊大正とはどんな時代だったのか（資料②の略年表参照、掲載省略）

○「憲政の本義を説いて〜」論文の冒頭の言葉（全国の高校校長会での大隈内閣の高田文相への一校長の追及的質問を紹介、時代の雰囲気を伝える）、掲載号は『婦人公論』の創刊と同時で、その広告が掲載されているのも興味深い

○著名なジャーナリスト滝田樗陰が、当時の『中央公論』の主筆で、吉野のほか大山郁夫・早大教授も重用したが、吉野と滝田との事実上の共著（口述筆記）が多い。

○報告者の父（１９１６年、大正５生まれ）がお世話になった、大牟田の宅老所での家族懇談会での余興の経験。熊本県内の旧制中学卒の父は英語の歌が得意、父より一歳年長の女性の久留米高女時代に習ったというラ・マルセイエーズの熱唱には驚かされた。大正後半から昭和の初期にかけてが大正デモクラシーの時代だが、当時、童謡運動も盛んになっている。この世代の10年のち以降生まれた世代とは、同じお年寄りでも余興の歌に大きな違いを感じたことがある。

○日露戦争後の日比谷焼き討ち事件（１９０５年、明治38）、米騒動、労働運動、水平社運動に見られる「民衆の登場」の時代。

○ワシントン条約・体制1921年11月～22年
2月）…国際協調
○大正デモクラシーは、社会運動など様々の面から見ても戦後の再出発の受け皿となり、土台を準備した時代でもあった。戦後の幣原・吉田・片山・芦田内閣もその流れにあった。
＊1917（大正6）年ごろから本格化した明治文化研究の意味は、なぜ日本の現実がこうなってしまったのかを探求するうえでの、当時の「今日的課題」の解決、日本憲政史の研究でもあった。明治文化研究会は24（大正13）年11月に発足したが、吉野はその中心メンバー、組織者、事務局で、物心両面から支えている。たんなる弾圧から逃れるための明治の資料あさりではなかった。
その成果である「明治文化全集」（日本評論社）初版（1927～32年）24巻、再版（55～57年）は16巻、3版（67～74年）は32巻、3版の復刻版（92年）は28巻・別館・付録2冊（月報、埋草一覧）で出版されており、吉野は日本近・現代史研究の創設者の一人とも呼ぶべき人物でもあった。
＊評価をめぐって
○前提として…デモクラシーはギリシャ語のデモ・クラティアが語源で「イズム」、「主義」というより「民衆の支配」、政治体制を意味する言葉。リンカーンの演説「人民の人民による人民のための政治」…日本国憲法前文にもこの言葉はそっくり使われている。今日の日本では「民主主義」という言葉が定着してしまったが、明治期の翻訳の時代に『民主政』と訳すべきで、誤訳であったというのが政治学者の有力な見解である。
○山川均、福本和夫などによる吉野への「左翼」的批判…民本主義は「主権概念を曖昧にした日和見主義」と批判（資料⑥参照、掲載省略）と上杉慎吉などの右翼的批判という、いわば左右からの挟み撃ちを受けた。
○吉野の影響下で、赤松克麿・宮崎龍介（のち柳原白蓮の夫、ちなみに報告者の父の父は、龍介の父、宮崎滔天と同郷、同年生まれで親友）らの東大学生で、「新人会」が結成される。だが新人会は後に社会主義への志向を強める。小林多喜二虐殺の10日前の33年2月に、福岡署で虐殺された西田信春（共産党九州地方委員会委員長）も新人会出身
○死後一年後に、「故吉野作造博士を語る」（中央公論社、赤松克磨編、執筆者36人）が出版されているが、特に矢次一夫（労働運動家、国士、フィクサー）、鈴木義男（吉野の教え子の一人、法学者、東北大学教授、戦後憲法制定に関与、司法大臣など務めた政治家、代議士（社会党、民社党）でもある）の追悼文（資料④、掲載省略）は、特に注目すべきである。

矢次は、吉野から教え子、娘婿で、その後転向して国家社会主義を唱えた赤松克磨と全く違い、自らの死期が迫る中での迫りくる**軍国主義・ファシズムのなかでの鬼気迫る当面の対応策の提示**を受けたことを証言している。鈴木義男は吉野が育てて残した人材の紹介として、「**鈴木安蔵氏の如きは唯物史観方向へ発展せしめて出藍の譽あるものと云われ得よう**」との指摘には、吉野の死後直後の執筆だけに驚かされる。これは吉野が鈴木安蔵への個人教授の事実が、すでに生前にも一部には知られていたことをも意味する。鈴木安蔵の岳父、栗原基の述懐も紹介は省くが、考えさせるものであった。
○鈴木安蔵「吉野作造—人と思想の研究」（中央公論 1646（昭和21）年5月号、資料⑤…掲載省略）
○鈴木安蔵「近代日本と民主主義」（69年8月、新日本出版社・新書、49年刊の『史的唯物論と

政治学』・中央公論社の第3章を改変）の、「第3章　大正時代のデモクラシー論・立憲主義」、資料⑥…掲載省略

○吉野の再評価が本格的に始まったのは1960年代、私見だが、これは相互作用でもあるのだが、戦後の極左冒険主義の自主的清算を経て成立した、日本共産党の61年綱領の存在は見逃せないと思われる。吉野再評価は東大政治史講座直系の孫弟子・三谷太一郎などのほか、歴史学研究会系の松尾尊兊・松本三之介・今井清一などが担った。それ以前の大正政治史・デモクラシー研究の開拓者・信夫清三郎（マルクス主義者で著名な政治史学者、名古屋大学教授。九大の学生時代は具島兼三郎と同世代）の吉野評価は、冷笑的で、よくいって冷評的であり、先に紹介した山川均、福本和夫らの「左翼」的批判、統一戦線論の欠如、の直接的系譜にあるといわざるをえない。…信夫・「大正デモクラシー史」（1954年12月、日本評論社）、同・「大正政治史」（1968年、勁草書房）

○1995～97年に『吉野作造選集』全15巻・別巻1（岩波書店）が刊行された。

○1995年1月には吉野の生まれた古川市（現大崎市）に、吉野作造記念館が開館。

○2016年1月に『吉野作造政治史講義』（岩波書店）刊行、資料⑦（掲載省略）。吉野の最初の政治史講義はヨーロッパの社会主義問題が中心（矢内原ノートの冒頭、資料⑧（掲載省略））、2016年1月号の「中央公論」の特別付録として全文復刻版の冊子刊行

五．吉野作造に学ぶ今日的意義

＊民主主義と社会主義の関係　吉野・中央公論、1928（昭和3）年、「現代政治上の一重要原則＝民主主義はなぜ悪いか」（新明正道講演

録、P. 41参照、掲載省略）
○宮下和裕・「研究ノート・民主主義と日本革命―民主主義を守り勝ちとる闘争のもつ革命的意義について」（1969年9月脱稿、九大同窓生の会（事務局は福岡第一法律事務所）編・発行の『民主評論まつばら』創刊号に掲載、70年6月）。70、71年に宮下和裕著『民主主義と現代』、『民族自決権擁護の革命的意義について』（ともに民主青年同盟九州大学全学委員会発行）、民族自決権は民族問題における民主主義の問題、その後報告者が45年間取り組んできた地方自治も実は民主主義の問題である。
○ソ連崩壊に象徴される、そしてその後より一層明らかとなった、「『社会主義』の現実」と今後の探求
○統一戦線、共同の思想。「世話役・組織者たらんとするものは、まず国民のレベルの高さに敬意を表することから始めなければならない」、これは30年前から報告者が使用してきた言葉。最近よく使われている「リスペクト」に通じる表現で、統一戦線の思想に立脚している。
○人類が掲げた「理想」… 共産主義・天国（キリスト教）・極楽（仏教）
＊弱者の立場から、権力と勇敢にたたかったこと。「帷幄《いあく》上奏」問題の提起など、特に軍部からにらまれた。
＊当時の日本政府の朝鮮や中国政策への批判的視点（これこそ今日から当時を見る場合の試金石）と、朝鮮や中国からの留学生への親身な世話、東大教授より高給の取れる朝日新聞社に転職した主因はここにあった。詳しい紹介ができずに残念だが、日本帝国主義が抑圧、殺戮、収奪、差別してきたアジアの民衆への強い連帯、この点にこそ吉野の真骨頂があった。
＊民衆の生活擁護、改善のための消費者組合、医療活動、教育や文化運動などに積極的に自ら先

頭になって動き、これらの業績、事業は現在も脈々と受け継がれている。

＊「平和」の危機、安保法制、共謀罪、改憲の動きが強まる中で吉野の業績、評価の見直しが求められている。最近気づいたことだが治安維持法の存続期間は、１９２５（大正14）年４月から敗戦までの20年間であったのは新鮮な驚きであった。あっという間に時代は悪くなり、大きな犠牲を残したが、だがそれは20年しか続かなかったということ。

＊国民の共同、世界人民との共同・連帯の新たな可能性、ここに希望がある。

（未完）

（初出、「福岡の暮らしと自治」、２０１７年10月、第４７８号）

第二章

今、9条を生かすには…17年総選挙と憲法・地方自治

――2017年12月の覚書――

＊本稿は２０１７年12月３日の「ちっご９条の会」13周年記念講演会、同16日の「市民連合オールむなかた」学習会で使用した報告レジメを合成、加筆したものです。

◉第19回研究所韓国旅行（２０１７・11・25～27）で考えたこと…戦後史・現代を見る視点

＊北朝鮮による（２０１７年）11月29日のＩＣＢＭ発射、40過ぎの聡明な女性ガイドの断言…「ミサイルが飛んでくるなんて全然心配していません」…日本と違う韓国国民の反応。日本での対応は「日本の非常識」か。

＊麻生副総理の総選挙結果についての、自民勝利は北朝鮮の「おかげ」発言、麻生氏には以前にも軍拡などのかねてからの願いが実現しやすくなったという意味での、中国・北朝鮮への「感謝状」発言の前歴もある。これはまさに本音で、「ためにする」発言。

安倍・麻生の正副総理への直臣ぶりが「売り」で、「安倍政治の実験場としての福岡市」を担う、野心家の高島宗一郎市長は、12月１日ミサイル想定訓練を実施（都内で初の実施が今年１月22日）。

＊今回の旅行では、巨済島の朝鮮戦争（南北戦争）後の捕虜収容所も訪問。北朝鮮軍15万、中国軍２万、女性兵捕虜も３００人を収容。朝鮮戦争はスターリン・ソ連の欧州での緊張関係の荷を減らし、当時台頭著しかった中国（共産党）の弱体化を狙っての、スターリンの第二戦線づくりとしての「南侵」で始まったものである。若いころには米帝国主義が起こした戦争と聞かされ、その後「南進」であったと知る。

特に最近出版された「スターリン秘史」（不破哲三、新日本出版社、２０１４年～16年、6全巻）は、現代史の闇・朝鮮戦争をも資料にもとづき、スターリンの第二戦線づくりとしての「南侵」とあらためて解明した大きな功績。

※以前から指摘されていたことだが、本来常任理事国であるソ連の反対があれば実現できないはずの、「国連軍」の朝鮮戦争への派遣を誘導、実現させたのは意図的な、当時のソ連の国連ボイコット戦術の結果であった。

※ただし朝鮮戦争が始まる半年前に、驚くべきことだが、スターリン指揮下の諜報機関メンバーから工作を受けた田中清玄は、スターリンの意図とその重大性を察知して、当時の日本政府・吉田茂首相とＧＨＱのアーモンド参謀長の順で直ちに面談し、スターリンの「南進作戦」計画を伝えている。アーモンド参謀長からは「信じられない」と相手にされなかったという（「田中清玄自伝」、田中とインタビューアー・大須賀瑞夫（毎日新聞）との事実上の共著。文芸春秋社、１９９３年刊）。

田中清玄は吉野作造の影響下で作られた東大新人会での活動を経て、戦前の共産党のトップであったこともあるが獄中で「転向」。11年間服役、戦後は実業家・天皇主義者・フィクサー・国士的人物として活動、自伝が出版された３ヶ月後の１９９３年12月に87歳で死去。

＊北朝鮮の置かれた立場、いまだに休戦協定中（「戦争中」で敵に包囲された状態ということ、平和協定の締結が課題）、その中での「（金正恩委員長などの）斬首作戦」（米韓合同演習等の名称）、最近の相次ぐ漁船漂着、板門店から兵士の脱北。

〈資料①〉第回福岡県自治体フォーラムでの李鍾元・早稲田大学教授（光州事件後、弾圧され日本に留学、研究者の道へ進む）の報告レジメ。『安上がり』の核抑止力、通常戦力に比べ、核ミサイルは安価」（掲載省略、詳細は「福岡の暮らしと自治」17年12月、18年1月号参照）。

＊注目すべき・ティラーソン米国務長官の「北朝鮮と『前提条件なしで対話』、大統領も認識共有」発言（12月12日ワシントンでの講演、のち修正発言。トランプ政権内部でのせめぎあいが進行中）

＊「社会主義」の崩壊と現実。比べる相手がなくなった（支配・被支配ともに）、それどころか麻生太郎副総理の「感謝状」「おかげ」発言が有効な時代。

＊済州島四・三事件がテーマの「火山島」で有名な、在日の作家、金石範氏の述懐…「北朝鮮・韓国でもこうした作家活動はできなかった、殺されていた。日本だからできた」旨の

巨済島の捕虜収容所の全景パノラマ展示

発言（朝日、２０１７年9月27日、夕刊）の意味。

＊かつて三大革命勢力、①社会主義国が世界体制に、②民族解放運動・植民地の独立、③資本主義諸国での革命運動によって旧体制が「音を立てて崩れる時代」と言われた（典型は民青同盟の「よびかけ」）。「70年代の遅くない時代に民主連合政府を」のスローガンが、輝いた時代。

＊「共産党つぶすには鉄砲はいらぬ、10年寝て待てばよい」（これは反共主義者ではなく私が、担い手の高齢化と後継者不足への危機感の表明として、10年前に使った言葉）。かつては青年学生運動が盛んで、50年前・前後には福岡市民会館大ホールを使用しての、福岡地区の青年学生（労組青年部、学生自治会）による自主的な成人式も行われていた。ちなみに九州大学教養部自治会の委員長だった私が、１９６７年の自主成人式で男性を代表して、法律事務所職員の女性代表とともにあいさつした経験がある。

＊しかし最近の日本共産党の野党共闘への献身を含む前進、声価は、世界から見れば「日本の『異常』」ともいえる。ヨーロッパの共産党（かつての「ユーロコミュニズム」、とくにフランス・イタリア）の惨々たる状況（ソ党・スターリンの支配、自主独立の欠落）、ソ連崩壊後のソ連・東欧諸国の「民主化」ならぬ独裁政権的「反動化」。かつて社会主義、「地上の楽園」と讃えられた北朝鮮。そして「文化革命」時代にマスコミや一部知識人によって礼賛された中国の今日の状況、経済成長とともに大国主義・膨張主義・覇権主義・軍拡、人権抑圧の現実。試行錯誤の時間が必要なことは当然だが、民主主義が最大の課題。

◉核兵器禁止の緊急性・重要性の再認識、国連での核兵器禁止条約の成立

＊17年9月20日署名初日で50か国に、ＩＣＡＮ（核兵器廃絶国際キャンペーン）のノーベル平和賞受賞。12月10日の授賞式でのサーロー節子さんの「核兵器は絶対悪」・ＩＣＡＮフィン事務局長の「核の傘に入るのは『共犯』」・文学賞イシグロさんの「被爆した母に平和教わった」発言、ローマ法王庁が「核兵器のない世界と統合的軍縮への展望」（11月10～11日）を開催

＊核大国の核独占による支配こそ問題、朝鮮半島、東アジア、世界の非核化が課題。ちなみに２０１４年以降毎年8月にジュネーブ軍縮会議で核廃絶を訴えてきた日本の高校生平和大使の演説が今回見送られたのは、中国の日本政府への圧力にあった（西日本新聞、11月14日、11月17日付のスクープ報道）。

＊アフガンでの中村哲医師（ペシャワールの会）の活動、憲法の積極的平和主義の実践。

◉なぜ憲法が70年も続いたのか

＊4年前の南区の9条の会・総会での講演をもとにした、所報の臨時増刊号『憲法も守り活かす力はどこに・再論』（2014年1月）を3，000部印刷し、売り切る。さらに、3，000部増刷、その売り上げを活用して「あの時代に戻さないために」（2014年10月）、「憲法を守り活かす力はどこに・希望としての地方自治PARTⅢ」（2015年6月）の2冊を出版（ともに自治体研究社）。

＊憲法制定時の主要な政治勢力（GHQ、政府、共産党）は、誰も憲法がこんなに70年も存続するとは思っていなかった。憲法制定にかかわったGHQ・マッカーサーや日本政府・政権担当者によって、早くもその制定直後には見捨てられた日本国憲法。それがなぜ70年も改正されることなく続き、成文化された憲法では世界でも最長命の憲法となったか。それは憲法自身が今日も人類の、世界の到達点を示すものであり、日本国民とアジアの民衆の願いに合致していたからである。私がたびたび主張してきたように、実際の憲法の制定過程はわずか1年足らずであったが、国民にとっての実質的な憲法制定過程とは、国民が運動のなかで憲法を血肉としてきた、その後の戦後の歴史であったと言っても過言ではない。

＊この20年での日本共産党は憲法評価について、例えば1条、9条などの抜本的見直しを行い、「全条項にわたって支持」への見解変更（詳細は拙著「憲法を守り活かす力はどこに・希望としての地方自治PARTⅢ」を参照）。

◉3，000万署名の意味

＊国会議席で改憲派が3分の2を超えた（だが与

党の公明党は、後述するように今回の総選挙では議席を減らしている）と、議席数に右往左往、一喜一憂するのではなく憲法自身のすばらしさを、なぜ70年も続いたのかを、あらためて私たち自身のものにすることが、国民的喫緊の課題といえる。「安倍9条改憲 NO！」の3,000万署名も、圧倒的な数の達成とあわせてその取り組みの中で、憲法のすばらしさを国民的にあらためて再認識しようとする、国民的学習、議論のよびかけでもある。

◉日本国憲法と地方自治

（拙著「憲法を守り活かす力はどこに」37ページ以下を参照）

＊全国知事会が17年11月24日、「第八章　地方自治」の92条に「固有の権能」明記提案、同日の政府主催「全都道府県知事会議」で安倍首相が知事会提案は「非常に重要、積極的な発言を期待」と応じた。だが、憲法第8章としてなぜ「地方自治」が組み込まれたか、「加憲」論の意味を考えたい。

回答を拙著から一部紹介すれば、「日本国憲法の全体系上の『第八章　地方自治』の意味、特に国民主権・基本的人権の尊重・恒久平和主義という憲法3原理との関係についていえば、まともな地方自治がなければ「憲法3原理は絵に描いた餅」となるということ、いわば日本国憲法を支える土台として、『第八章　地方自治』が設計され、誕生、存在していることの認識が、特に重要です。

内容的な大きな変化としては、国・都道府県・市町村が憲法上は垂直の上下関係ではなく、対等な並列の関係になったこと、都道府県知事も含めて首長が住民による直接公選で選ばれるようになったこと、都道府県の完全自治体化、自治体が住民の権利や自由に制限を加え義務を課すことを可能とする、『行政を執行する権能』を有するようになったこと、すなわち権力団体・統治団体となったこと、一つの地方公共団体のみに適用される法律は、当該住民の過半数の同意がなければ国会といえども制定できないことが規定されたこと、などがあります。

明治憲法下と比較するならば、これらは『革命的』といってよいほどの地方分権の強化を意味していました。最近わけ知り顔に、「日本国憲法には地方自治の規定が不十分だから、憲法改正いわゆる『加憲』が必要だ」との議論がありますが、それは主張者自身の、現憲法の『第8章地方自治』の「革命的な」規定に対する認識不足、活用不足によるものです。そのことを棚に上げて、改憲の口実にするのは御門違い《おかどちが》いというべきものです。」（拙著38ページ）。

「第八章　地方自治」にもとづき、地方自治を充実させるどころか、ネグレクトしてきたのが、戦後の歴代自民党政権であった。

◉17年総選挙が示したもの

選挙結果、当選者数は別表の通りであった。総選挙（10月22日）翌日の朝日新聞の大見出しは、「自公大勝」であった。それを見てその日の午前中の、私の「メールじょうほう」では、「『薄氷下』での『自公大勝』」と特徴づけた。より正確に言えば、与党を個別に見ると公明党が34議席から29（小選挙区8、比例21）へと大きく減らしている。前回14年12月の選総挙では選挙区が9名全員当選、比例区が26人の当選であったので、選挙区で1名減、比例では5人減で、7，314，236から697，712と700万を切ったことが、今後の憲法論議とも関連して注目される。

＊この間の経緯を概観すれば、安保法制・原発問

題に続く国有地払い下げ問題、いわゆるモリカケ（森友・加計）問題、築地・豊州移転問題などで安倍政権へのボディブローが利いてきた中での、①都議選での「ファースト」の大勝（6→55）、自民党の地滑り的惨敗（57→23）。これはこの局面で国民を結集させる、頼もしい存在が登場したら、国政は一気に変わる可能性を示したもの。「これで安倍改憲は難しくなった」との観測も一部には出たほど。②したがって野党共闘の前進によって民進党を含む市民連合との野党合意が、それまでの合意通り進行していたら、17年総選挙は危かった安倍政権、③もともと安倍首相の解散の動機は、自民党が委託しての世論調査結果の、「総選挙の時期を延ばすともっと議席が減る」を受けて、その前に「減り方の少ない時期に早くやってしまえ」、という党略が趣旨、④そうした局面で飛び出したのが、前原誠司・民進党代表の野党共闘への敵

衆院選党派別当選者数　2017年10月22日投票

	新議席	公示前	前回	小選挙区	比例代表
自民党	284	284	291	218	66
立憲民主党	55	15		18	37
希望の党	50	57		18	32
公明党	29	34	35	8	21
日本共産党	12	21	21	1	11
維新の会	11	14		3	8
社民党	2	2	2	1	1
こころ	0	0		0	0
その他・無所属	22	45	126	22	0
合計	465	472	475	289	176

注・解党などで消滅したり今回候補者を出さなかった政党は「その他・無所属」に含めた。小選挙区の定数は公示前から10減。公示前は欠員3で、解散当時の事実上の勢力分野を示した。

意むき出しの、それまでの野党共闘を「チャラ」にするための、「希望」への吸収・合流方針。⑤「希望」が絶頂へ、⑥小池百合子希望代表の「排除」発言をきっかけに希望の大失速、⑦共産党の候補者取り下げや市民連合などの緊急対応、立憲民主の立ち上げがあって、立憲民主の野党第一党への躍進、野党共闘の深化・発展と二転、三転どころか、以上のように「六転、七転」？ほどしたうえでの結果というのが実情。

＊そういう意味では17年総選挙は、安倍首相にとっても思いがけない結果となった。その主要な原因は、支配的勢力の意向を受けての前原・民進党代表の「反共主義」の使命感、本領発揮としての、「民進」の「希望」への「吸収、解党」策（当時の民進党は、全会一致で承認）にあった。

＊その後も「賞味期限」の短さ、速さに驚く。7月2日の都議選から3ヶ月後の、11月12日の葛飾区議選挙では都民ファースト5名中4名が落選、1名のみ当選という結果に終わる。11月14日には小池百合子氏が希望代表を辞任。

結論的に言えば、17年総選挙は「『薄氷』の上での『自公（政権与党ブロックとしての「自公」の意）大勝』」ということに尽きる。30年来主張してきた「世論操作能力が統治能力」という時代状況の中、「世論操作される弱さからの脱却」が課題という点から見れば、これからどうなるかわからないという、驕る権力者に冷や汗をかかせた点、野党や国民にも教訓を残した点では、「『薄氷』の上での『自公大勝』」として歴史に残る一歩前進と、今後の展開で歴史に記録させたいものだ。

そこで強調したいのは、自民党の絶対得票率（全有権者に占める得票率）の低下である。08年総選挙は自民党が惨敗し民主党政権が誕生したが、この時が比例で18・1％、今回が17・49％であった。ちなみに安倍政権が復活した12年総選挙でも15・99％という低いものであった。17年総選挙での小選挙区での自民党の得票率は47・8％でにもかかわらず議席占有率は74・4％にも上った。こうした虚構の多数を生み出したものは、御承知のように小選挙区制のトリックで、小選挙区制の弊害が極まったことを痛感。

＊小選挙区制問題については〈資料②中島京子論考（毎日新聞、17年10月30日、掲載省略）〉と、所報「福岡の暮らしと自治」11月号の下東信三論文、拙著（前掲書）「第二部選挙・政権交代と地方自治」など参照）

◉日本の「非常識・異常」が、今も続く「『終戦』特集」報道

素晴らしかった戦後50年目の「終戦特集」、これには「これで終わりにしよう『終戦特集』」との思惑があるという、うがった批評も当時あった。だがもっと深いところにその根はあると言わざるを得ない。拙著「平成の自治体再編と住民自治」（自治体研究社、2007年12月）所収「国民が主権者であることを改めて示した07年参議院選挙」の「戦後62年の夏…目覚ましかった終戦特集」を参照。柄谷行人氏の「9条が日本人の無意識の中に根付いている」という「無意識論」（毎日新聞、2017年11月27日）…〈資料③〉参照（掲載省略）

◉試練とともに新しい探求と展望の時代 …運動の事例に学ぶ

＊「引き揚げ港博多を考える集い」の教訓（省略、詳細は拙著「希望としての地方自治　地域からの発言」を参照、2000年2月、自治体研究社）

＊脱原発・安部政権批判での野党共闘による参議選（16年7月10日）と県知事選挙（16年10月16日）での勝利、総選挙（17年10月22）での6小選挙区中、1～4区で野党連合の勝利を生み出した新潟の教訓。巻町（現新潟市）原発住民投票（96年8月4日）、町長に当選して住民投票を実施した住民代表・笹口孝明氏は酒蔵の経営者、そこの代表酒「吟造り・笹祝」の宣伝文句は見事であったが、以下はその全文である。「麗しき郷土の酒　秀れた民族は必ず麗しい酒を持っている。その麗しい酒は夫々の郷土において先人が、その時代時代の文明を駆使して築き上げた英知の結晶である。それ故に郷土の酒を鑑賞できる人々は、豊かな心とすぐれた知性の持ち主であり、それはまた人生の大きな楽しみの一つである。」

地域に生きる小さな酒蔵を守り育てることによって、全国に鳴り響いてきた新潟の酒、特に県醸造試験場が大きな役割を果たした。ちなみに福岡の酒は「蔵出し」で、灘の生一本に化けていたこともあって、衰退した。

巻町の住民運動を理論的に指導したのは自治省の元高級官僚で、自治大学校の副校長も務めた秋田周・新潟大学教授（当時）であった。秋田先生を通じて若いころの私の著作を、巻町の運動に活かしていただいた嬉しい思い出がある。

＊中越地震と原発事故の体験。新潟は巻町に限らず「革新か保守か」ではない、「民主的自治体」建設への共同の経験が豊富。

◉「危機とも転換ともなりうるせめぎあいの新しい時代」

＊この表現は、中期的時代状況を示す表現として、報告者が２０１３年の参議院選挙時から使用

してきたものだが、現在は「冷戦」、「米ソ対決」、「55年体制」時とは、根本的に時代状況が変わっている、その中での困難性、陣痛期・過渡期ともいえる。「前衛党」概念を放棄した日本共産党は、最近のサポーター制度の採用という新方針もこの延長線上にあると思われるが、「発展途上人」と改めて自己規定すべきである。ちなみに「発展途上人」とは、「福岡の暮らしと自治」の昨年10月号で私が紹介した吉野作造についても、「時代の子として、発展途上人であった」と評価、表現している。（本書第一章）

◉新しい将来社会の展望をつかみ、創り出していくこと

＊統一戦線、共同の思想。「我々国民は馬鹿ではない」、「世話役・組織者たらんとするものは、まず国民のレベルの高さに敬意を表することから始めなければならない」、これは30年前から私が使用してきた表現だが、最近よく使われている「リスペクト」に通じる表現で、統一戦線の思想に立脚している。同時に、「人間はいつまでたっても人間」、という認識も必要と思われる。

＊どこに立脚するか…人間を大切にする精神（徳本正彦・九大名誉教授）、言い換えれば「個人の尊厳、尊重」（憲法13条）ということ

＊そして私たちが課題としてきた「自治」、「社会的自治」は、過去、現代ばかりではなく未来社会をも展望する言葉である。かつてのマルクス主義では、私が高校生時代に受験勉強もかねて英文で勉強した、当時有名なアメリカの社会主義者・経済学者であったレオ・ヒューバーマンやポール・スウィージーの社会主義論が典型的であったが、「計画経済」万能論が唱えられ、「市場論」はなかった。だが市場経済はこれからも続く。

＊1973年、79年のオイルショック時のパニック・買い占め、阪神大震災、東北大震災・原発事故への対応の経験は、社会的規制・共同（協同）の重要性の再認識をもたらした。

1975年の共産党による民主連合政府綱領案の発表後の76年、自由と民主主義宣言を採択した第13回臨時党大会の直前だが、レーニンの「執権」論議のなかでの、不破哲三・共産党書記局長（当時）による山口正之・立命館大学教授（当時、故人）への、「あくまで生産手段の国有化、社会化が基本」との一方的「批判」とその後…。

山口教授は、かつてレッドパージを受け、郷里の佐賀県で自転車屋・パンク修理屋の経験を持つ。その後、九州大学経済学部図書室の職員を経て、立命館大学で研究職。99年3月に逝去。

＊人類が掲げた「理想」…共産主義・天国（キリスト教）・極楽（仏教）

〈追記〉

民進党は2月4日衆院選挙後初の定期総会で、前原代表（当時）が主導した希望への合流について「判断は誤りだった」と総括し、国民に謝罪した。（初出・「福岡の暮らしと自治」2018年2月、482号）

お寄せいただいた御意見から

（初出、「福岡の暮らしと自治」2018年3月、483号）

堤幸春 会員（福岡医療団専務理事）

◎17総選挙結果は、「六転、七転」ほどした上での結果、◎安倍にとっても思いがけない結果、◎「賞味期限」の短さ、速さ、◎新しい探求と展望の時代、◎発展途上人の指摘など勉強になります。次年度の方針を議論していく時期を迎えます。ありがとうございました。

森下宏人 会員（門司区自治会長、北九市職労ＯＢ）

◎会報４８２号を読んで

ご無沙汰しています。会報４８２号を自治体フォーラムの報告はじめ、すべてを読みました。とりわけ、宮下さんの「覚書」は私のこれまでの実体験と重ねながら感慨深く読みました。

三大革命勢力や生産手段の国有化、「前衛政党」など信じて疑わなかったですね。共産党も時代とともに成長発展するものだとつくづく思います。「共産党をつぶすには鉄砲はいらぬ、10年寝て待てばよい」は、10年前の言葉だといいますが、運動の世代継承はいまでも最大の課題です。ＳＮＳ時代の紙離れの中で若い人とどうつながるか難問です。試行錯誤の連続です。私は78歳ですが後継者をつくるためにもう少し第一線でがんばろうと思っています。会費の滞納について、明日送金します。

補　論

２０１９年参議選・短評

（「メールじょうほう」２０１９・０７・２３）

今回の参議院選挙（7月21日）は、改憲勢力が3分の2に達せず、「発議要件」を失ったこと、自民が66から57に減、その結果新勢力が２４５中の１１３に終わり単独過半数も失ったこと、野党共闘が大きな意味を持ち成果を上げたことが、今後につながるものとして注目されています。

参議院選挙をめぐる情勢は国内問題だけでなく、香港（中国）問題、北朝鮮韓国、中東問題など、米ソ冷戦時代とは大きく違った時代状況の中に、置かれています。こうした時代状況については、所報「福岡の暮らしと自治」２０１８年2月号に掲載した拙稿「今、9条を生かすには・・17年総選挙と憲法・地方自治 ― 2017年12月の覚書 ―」（本書、前掲）で論じていますので、ご参照いただければ幸甚です。

そういう意味では、6年前の参議院選挙の時以来、当研究所では『危機とも転換ともなりうるせめぎあいの　新しい時代』と、中期的な時代状況を位置づけてきましたが、依然として、せめぎあいが進行中です。

◉参議選、野党統一候補の得票が4野党の例票の合計を超す現象

（「メールじょうほう」2019・07・29）

先の、この「メールじょうほう」で、改憲勢力が参議院で三分の二を割ったこと、自民が単独過半数も割ったこと、野党共闘が大きな意味を持ち成果を上げたことが、今後につながるものとして注目されていると、短評しました。

野党統一候補が4野党比例票合計を超したことも、各紙も報じています。

この点に関して、私の居住地の基山町や鳥栖市で発行されている各「民報」に、わかりやすい表が掲載されていましたので、紹介します。

これらの数字に、今後の方向性が、はっきりと示されています。

公明党が17年総選挙の比例で700万票を切り、陣営に衝撃を与えていましたがこの傾向は今回も止まらず、653万票へとさらに減らしていることも衝撃的です。

統一候補 4野党比例票超す

共闘効果 アップ

▼ 参院1人区の勝敗推移

３２選挙区中統一候補が
４野党比例票を超す

	19年		16年	13年
青森	113 %		○	○
岩手	114	○	○	
宮城	134	○	○	
秋田	155	○		
山形	153	○	○	
福島	118		○	
栃木	116			
群馬	106			
新潟	142	○	○	
富山	131			
石川	126			
福井	87			
山梨	120		○	
長野	124	○	○	
岐阜	114			
三重	120		○	
滋賀	163	○		
奈良	147			
和歌山	116			
鳥取・島根	107			
岡山	109			
山口	93			
徳島・高知	123			
香川	132			
愛媛	212	○		
佐賀	120			
長崎	147			
熊本	137			
大分	126	○	○	
宮崎	91			
鹿児島	125			
沖縄	129	○	○	○
合計		10	11	2

◉ ○は、野党統一候補が勝利した県
◉ %は、４野党の比例得票に対する統一候補の得票割合

32選挙区中29

19年7月28日

基山民報

鳥栖民報

NO 1224

国政における主な政党の得票推移

（比例票）

	19参院選	%	17衆院選	%	16参院選	%
共産党	4,483,411	9.0	4,404,081	7.9	6,016,195	10.7
国民	3,481,053	7.0	-		*1	
立憲	7,917,719	15.8	11,084,890	19.9	9,775,991	18.3
社民党	1,046,011	2.1	941,324	1.7	1,536,238	2.7
自民党	17,711,862	35.4	18,555,717	33.3	20,114,788	35.9
公明党	6,536,336	13.1	6,977,712	12.5	7,572,960	13.5
維新	4,907,844	9.8	3,387,097	6.1	5,153,584	9.2
れいわ	2,280,764	4.6	*2 9,677,524	17.4		

◉ 自民・公明は３回連続して減。自民は１６参院選と比べて２４０万票減、
◉ 公明も１００万票減。
国民・立憲は合わせると、１６年比で１６０万票増。共産は１５０万票減だが、１７年よりも増。

＊1）　１６参院選は民進党の票数。

＊2）　１７衆院選は、希望の党の票数。

・佐賀選挙区では、山下雄平（自民）186,209票。
犬塚ただし（国民）115、584票

第三章

九大への米軍機墜落
板付基地撤去運動と50年後の今

第一節

九大への米軍機墜落と板付基地撤去運動

―米軍ジェット機九大墜落50周年・学徒出陣75周年記念集会での報告から―

＊本稿は（18年）6月30日に九州大学文系地区で行われた標記集会での報告レジメに加筆したものである。この8月をもって残っていた文系地区も、伊都キャンパスへ移転し閉鎖されるにあたっての、さよなら集会でもあった。

1968年6月2日、米軍RF－4Cファントム偵察機が、九大構内に建設中の大型計算機センターに墜落、炎上。（文中の使用写真はすべて宮下所持）

その前史①

60年安保の「敗北」→西田佐知子の「アカシアの雨に打たれて」、「大衆社会論」の隆盛→その後の九大祭テーマ「砂粒の情熱」。「キチキチバッタのアンポンタン」と安保・基地闘争を揶揄。

その前史②

戦時中1944年に席田飛行場として軍が強制収用して建設、戦後米軍の手で大拡張。朝鮮戦争時は嘉手納から移転の米空軍によって、福岡・板付は国内の最前線基地…九大の授業開始時に出撃しその授業が終わるころ帰還していた戦闘機。相次ぐ市内での墜落事故、核基地でもあった。板付基地は横田・三沢と並ぶ米空軍の拠点、核出撃基地であった。九州では唯一の空軍基地。そしてもちろん沖縄の嘉手納が最大拠点。

だが特筆すべき福岡県の安保共闘は、日本で唯一の社会党・共産党・県評・農民組合の四者を中心とした正式共闘であった。60年安保・三池争議、ベトナム戦争、1962年2月27日福岡市阿部源蔵市長が市道(米軍機の離着陸に当たって道路が、踏切のように閉鎖され警報機付きだった)廃止条例を機動隊導入で強行採決、62年3月25日板付基地包囲10万人大集会(板付基地撤去・沖縄返還・池田内閣打倒・諸要求貫徹九州大集会、荒木栄・「この勝利ひびけ、とどろけ」)、九大の学生・教職員も多数参加、箱崎安保共闘はじめ多くの地域共闘、62年5月大学管理法反対で九大では四者共闘(学生・教職員・院生・教官)を成立させ、全国的に連帯してたたかい、断念に追い込む。

63年1月米軍の意向を受けた防衛施設庁が、勝手に北側県道の掘り返し工事を強行、当時の鵜崎多一県知事の二度の原状回復命令で原状回復。

63年5月米空軍がF105(全天候型の核爆弾搭載機)を75機、F102が25機配備を発表、強い反対運動おこる、県知事も福岡市長も反対表

写真コラム

あの時の一コマ

■1967年6月、九大祭のメインイベントの一つの仮装行列に、県警(西署)が交通渋滞を理由に規制をかけてきたことに学生が猛反発。教養部自治会を中心に、天神にあった県庁内の県警本部に連続の抗議デモを行った。当時はデモ行進の届出を行ったうえで、公道から引き続いて県庁内でのデモ行進と集会が認められていた。

ところがこの日は突然、県庁正門が県警・機動隊のスクラム、ピケで封鎖され、開庁時間中にもかかわらず、デモ隊が入構できなくなった。やむを得ず正門前の歩道、路面電車の通る大通りに、座り込まざるを得なくなった。電車や歩行者は通行できるように配慮したうえで、瓜生洋一・学友会委員長、佐藤光洋・九大祭実行委員長、教養部自治会委員長の私など5名が、県警内の会議室で県警・交通部長らと交渉したが、部長の手が震えていた。

その後、正門付近での小競り合いで1名が逮捕されたが、県庁と隣接した福岡署(現中央署)に留置されていたので、大勢が抗議行動に詰め掛け、諫山博弁護士・高倉金一郎県議などの尽力もあって夜が明けないうちに釈放させた。これは当時異例のことといわれた。後日、県警本部が大幅に規制を緩和して妥結、仮装行列は無事、実施に至った。(正門でスクラムを組む当時の機動隊の様子にも注目。その後装備や人員、態勢などが70年に向けて、全国的に急速に強化された。)

明、福岡市議会も「板付基地の全面撤去要求」を決議、県議会も反対決議、3月25日にも3万人板付集会、ついに北側県道を守り抜く。

63年12月米軍がF105は横田へ・F104は本国へ、板付は予備基地にと発表、64年1月26日第3回板付大集会（7万人）が米軍追い出し集会に、5月28日最後の米軍機が横田に移動、63年1月原潜寄港を米政府が日本政府に要請（佐世保64年11月）、日韓条約（65年締結）、プエブロ号事件（68年1月）で緊張激化、そして墜落事故

＊私の学生時代素描…

1966年入学、直後に4月28日に取り組み自治会活動へ、6月教養部自治会執行委員、10月21日ベトナム反戦・諸要求貫徹で総評が呼びかけて国際統一行動、12月教養部自治会執行委員長、1967年九大祭仮装行列規制反対闘争（2千人

1667.6. 九大祭規制撤回闘争 県庁前

1968.1.16
エンプラ学内総決起集会、
九大教養部106番教室

■1968年1月16日、六本松にあった九大教養部の106番教室（当時一番大きな教室）で開催された、原子力空母「エンタープライズ寄港阻止と大学自治を守るための 教職員・学生 全学総決起集会」の一コマ。

大入り満員で教室外にも人があふれた。演壇での発言者は当時の全学連委員長の田熊和貴氏。18日には寄港阻止佐世保大集会が、全国の民主勢力と地域住民4・7万人もが結集して、佐世保市民グランドで開催された。（左下写真）

で県庁正門前に座り込み県警へ抗議、60年安保以来といわれた。九大の学生歌でデモ）、68年1月19日エンタープライズの佐世保寄港（九大からも学生・教職員が多数参加、私は全学連中央の現地事務局長）、68年6月2日米軍ファントムの構内墜落（当時全学連中執・学友会副委員長、その後学友会中央執行委員長に）、フランス68年「5月革命」、米軍ジェット機墜落の抗議行動のさなか、ソ連のチェコ侵攻（68年8月）、68年東大闘争本格化、69年東大入試中止、69年大学立法、70年安保。「日大闘争」とは何だったのか（アメフット事件）

＊同級生は右から左、ノンポリ、立身出世願望者、さまよえる子羊まで、有能な多士済々であったが、現在一番活躍し、有名なのは中村哲医師（ペシャワールの会）

＊自治会活動とは、生活・勉学条件の改善、平和と民主主義の擁護を民主勢力の一員として取り組むと共に、民主的インテリゲンチャとしての成長を目指す、「学生運動の二つの任務」と、私が中執時代の全学連第8中委（1968年11月）が定式化。

＊「安保体制下の大学」を象徴した米軍機ファントムの墜落

＊学生・教職員の激しい怒りをよぶ、連日の大規模抗議行動が続く。

＊画期的な学内共闘の成立・九大四者共闘会議（九大職組・学友会・院協・生協労組、初代議長は梶原壊二・理学部教授、事務局長は仲山雄之助・元日教組大学部長、加盟団体から副議長）

報告中の筆者（2019.6.30）

パイロットが脱出したパラシュートが、松の木にかかっていた。中央奥の建物が建設中の大型計算機センター、右手前がコバルト60照射室

西日本新聞

米軍機、九大構内に墜落

新築中のビル炎上

周囲は住宅　危うく大惨事免る

夜間の飛行訓練中　乗員2人脱出

市当局が厳重抗議へ

"夜間訓練は約束違反"

米軍車を包囲　抗議の学生、警官隊が排除

一直線に突込んできた

西日本新聞　夕刊

米軍基地を再検討

佐藤首相盛岡で語る　問題は代替地に

必要なら公文書交換　板付基地移転

夜間訓練の即時中止　米空軍に申入れ指示

前向きに米と折衝　知事の要請に答えス

投票前でも検挙　参院選の悪質違反者

当時の新聞から（1968.6.3,5　西日本新聞）

米軍機が７ヵ月もぶら下がったままの墜落現場と見守る市民、見学コースにもなっていた

墜落したファントムのエンジン部分

法文系中講義室での記念集会（2018.6.30）

＊大学自身の取り組み（学長先頭にデモ、大きな社会的影響、研究成果の発表）・・・「四者共闘のズブズブの共闘路線」と漫罵した人たちもいた。横行した「教授会＝敵」論
＊地域の怒り、箱崎安保共闘以来の伝統、貝塚・松原団地の取り組み、労組・民主団体・平和団体の取り組み、全市民的賛同の下での運動、たたかいへ。（詳細は本節末尾の補足資料①を参照）

＊生みだした成果

翌日4日の福岡市議会では事故に抗議し板付基地の撤去を要求する決議を満場一致で採択。市議会を中心にそれこそ超党派の市民団体「板付・雁ノ巣基地移転推進協」（1955年結成）から「基地返還推進協」へ71年9月に名称変更。

1976年総会時の構成メンバーは第12回総会議案によれば、市議会・九州大学・市商工会議所・県当局・市当局・市校区自治会連合会・市校区婦人会連協・市公民館連協・市ＰＴＡ連合会（小中高）・市農業協同組合・福岡地区労・福岡地区安保共闘会議・市平和委員会・福岡子供を守る会・県中小企業家同友会・貝塚団地自治会・西戸崎基地対策協の17団体（構成員に多少変動あるも現在も存続）。市長部局には総務局総務部に基地対策課があった。

＊地域住民、学生、教職員、大学あげての怒り、連帯運動、世論が米日政府を追い詰める。
＊次ページの囲み記事、在福岡米総領事シュミース氏の国務省宛ての報告）の一節
＊板付基地→アメリカの負担の少ないが、いざという時には活用できる「逆の共同使用」へ。それまでは米軍基地に自衛隊・民間機が居候する「共同使用」が一般的。
＊当時の運動の一番の基調は、平和と民主主義、生活擁護、大学の民主化

水野高明学長を先頭のデモ行進、
大きな反響を呼んだ（1968.6.4）

九大本部前での抗議集会（1968.6.5）

1968年6月4日（火曜日） 赤旗

米機の九大墜落事故 まきおこる抗議

米機九大墜落事故 怒りの抗議続く

68.6.4

一万人、学内外で集会
怒りのデモ 米領事館つつ

1968.6.5

六千人、学長先頭に
米領事館へ 基地撤去

水野九大学長

"即時とり除け" 福岡市議会が満場一致決議

全市民の抗議集会をひらけ

安保

「赤旗」（1968.6.4）

1968年6月7日、板付基地の北側県道付近での
基地内抗議集会・九大四者共闘会議の主催

また一連の基地撤去のたたかいで阿部市長の態度の変化が目立った。こうした態度を米側はどう見ていたか。当時の福岡総領事トマス・P・シュースミス氏は国務省宛の報告で次のようにのべている。

「阿部市長はいまのままマスコミや反対運動のムードに公然と反対しなければ、アメリカをいっそう不利な状況にしてしまうことを知りながら、そうした立場を公然ととるつもりができていない。それどころか彼は米軍機は板付基地を使うなとの反対勢力の要求を認めざるを得ないと思っている。公平にみてこの地域の保守勢力の指導者たちは自らがおかれた情況をきわめて困ったものだと思っている・・・・マスコミにたたかれることが分り切っている決定をしたり、強いられることに彼らは憤慨していると信じるにたる理由がある」として六五年博多港への弾薬荷降ろし拒否や台風避難のB五二飛来に反対したことをあげている。

当をえた見方であろう。（おわり）

堤康弘氏論考「米軍はなぜ板付基地を放棄したか」の結びの言葉
（新原昭治・国際問題研究家の、精力的公文書探索の成果）

＊多くの人から忘れられ、当時も軽視された大問題…大学での暴力問題、「封鎖・占拠」。意見の違いを暴力で封じ込めようとする暴力行為の横行。この一掃が大問題で、大学運営の問題と合わせて民主化の極めて根本的重要課題であった。暴力による傷害事件ばかりでなく、勉学・研究・働く場を奪い、大学・国民の財産を破壊・略奪し、多大な損害を国民に与えた。だがマスコミはじめ「造反有理」と、もてはやす根強い傾向。

一般に「三派」とか暴力学生、私たちは自治会レベルでは「分裂主義者」「反全学連諸派」と呼んできた。意見の違いの存在は当たりまえで、議論すればよいこと。大衆組織と党派の混同、引き回し・私物化の問題。結局は民主主義のレベルの問題に尽きる。

＊69年1月5日未明に機体引き下ろし事件

○参照・小論集（私家版）収録の拙稿「民主主義と日本革命…民主主義を守り勝ちとる闘争のもつ革命的意義について」、「赤旗」手記・「新しい大学を求めて・学問を妨げるものとたたかう中でしっかりした理論を」（本書66ページ）

○「愚劣の軌跡」（小野寺龍太、春吉書房2017年8月）が、著者の意図を超えて示したもの。

墜落現場前での四者共闘・全学決起集会、右は四者共闘のデモに襲い掛かる革マル（怒った市民が私に提供した10枚の写真中の1枚）

＊当時の学生の社会的地位、ほか諸論点

○学生の自己意識・次代を担うという使命感があり、学生も世間から期待されていた良き時代、4年制大学進学率も私が入学した1966年で11・8％（2013年で49・5％、男子は過半数超）

○市民との関係、温かい支援、同情・連帯、市民のうっ憤晴らしの代弁者

○私自身高校出たばかりの、20歳前後だった。学生・若さ・未熟者ゆえの性急さもあるが、観念的「左翼小児病」の弊害を痛感。特に「三派」と呼ばれた跳ね上がり部分にはエリート意識が強烈→常套句の「先進的学友諸君」。エリート

左は記念講堂前での漫画での論争の一コマ

右は入試粉砕を叫んだ中核派の九大本部封鎖解除後の写真（1969・3）鉄パイプ・火炎ビン
このころは九大だけではなく全国の大学で、入試粉砕・入学式粉砕の暴挙・暴力が横行した

機動隊による大学本部の封鎖解除後に撮影した落書（1969・10・14）
左端は、同所での当時ヒットした早良直美の「いいじゃないの幸せならば」の替え歌の落書

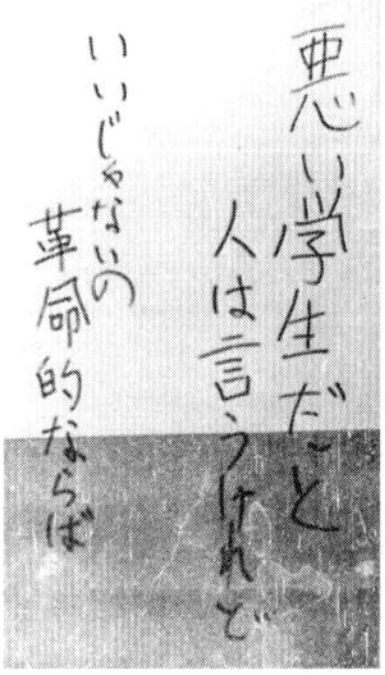

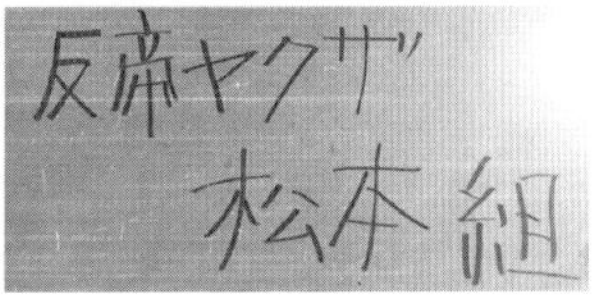

意識の裏返しとしての「ハシカ・麻疹」のような容易な「転向」。本当は「転向」でもない、「張り詰めた絃は切れやすい」。

○「授業に出ることは資本家に従属すること」、「教育工場・授業粉砕・帝国大学解体」（比喩の魔術の落し穴）→「封鎖・占拠」、だがさっさと就職。特に法・経では上京しての入社試験の掛け持ち受験が、交通費と日当の支給で高額のアルバイトになるという恵まれた時代。売り手市場の甘やかされた存在。

○**存在しないはずの「大学の自治」「戦後民主主義」に守られての暴力・蛮行。**大学本部の封鎖解除後の退廃・落書きに驚く（写真参照）。精神構造はよく言って東映の任侠映画並み、暴力団気取り、〃トロイの木馬〃。かつて潰され

学長に加藤代行選出

東大 第一回投票で過半数

加藤代行

注目の東京大学学長選挙は、二十三日午前八時半から東京都中野区南台一の一五の一、教育学部付属中・高校で行なわれ、第一回目の投票で十九代目の学長予定者に加藤一郎学長代行が選出されました。

開票の結果有効投票数千百四十三票（投票総数千百七十七票）のうち、加藤一郎学長代行が過半数の七百三十五票を獲得、団藤重光法学部教授は百四十四票で次点、林健太郎文学部長が百二十三票、隅谷三喜男経済学部教授が七十票、向坊隆工学部長が五十票をそれぞれ獲得しました。

東大の学長選挙では、最近第一回目の投票だけで過半数をえたことは例がなく、三十二年の茅誠司元学長は二回目の投票で、年の大河内一男前学長は決戦投票によって選ばす。しかし今回の選挙で教官層が、第一回投票でに圧倒的な信任をよせた政府、自民党の不当な確認書への攻撃などにたつの回答をしめしたもの目されます。投票終了後管理する協議会が開かが、席上加藤教授は「二週間の猶予期間がほしい」と述の諾否を保留しました。

東大学長選挙で投票する法学部の教授、助教授
（23日、東京・中野区の東大付属中・高校）

69.3.23
赤旗

九大四者共闘

文部省の介入に抗議

学長事務取扱いの 任命拒否で声明

【福岡】文部省は、九州大評議会が学長事務取扱いに選出した井上正治教授の任命を拒否し、異例の言動調査をはじめていますが、九大四者共闘は二十一日開いた事務局長会議で、この問題について討議し「これは大管法実施の突破口をひらこうとする政府、自民党の攻撃であり、断固として反対する」との態度を決めました。また二十三日開いた四者共闘戦術会議でも討議の結果これを確認するとともに、要旨つぎの声明文を発表学生、教職員、生協組合員らにビラで訴えました。なお、四者共闘では井上教授問題について話しあうため、教授会、評議会に団交を申し入れることにしています。

声明（要旨）東俊之学長事務取扱いの辞意表明にともなって、九大評議会は井上正治教授（法学部長）を後任に選任したが、井上教授はこれまで四者共闘の反対にもかかわらず、ごく一部にしかすぎない暴力学生と妥協し、かれらの暴挙をむしろ擁護する態度をとってきた。したがって四者共闘は同教授の選任問題については態度を留保する。

また、今回評議会が従来通りの選挙方法によって、井上教授を選んだことは、四者共闘がこれまで一貫して主張してきた学長選挙の民主化を無視したものであり、この点についてもわれわれは態度を留保する。

しかし、今回政府、自民党が井上教授の学長事務取扱い任命を拒否し、あまつさえその言動調査を大学当局に指示するということは、大学の自治を破壊する許すことのできない暴挙であり、断固反対する。また今回の攻撃は、大管法実施の突破口を切り開くものであり、これを粉砕にたたかうものである。

東北大学長が見解表

文相に拒否権ない

【仙台】東北大学職員組合（佐藤郁生委員長、組合員千六百人）は、二十日、本川学長と会見し、「大管法」の立法化反対、中教審の「中間報告」抗議の立場を表明するよう要請しましたが、席上、本川学長は、次のような見解を明らかにしました。

一、教官人事にたいし臣の拒否権は認められな大の井上学長事務取扱いめぐる文相の国会答弁はで取りあげるべきである

二、副学長制など制度で、大学の意向を無視す反対であり、「大学秩序

1969.3.23
「赤旗」

た大管法が臨時措置法として69年に復活（2001年に廃止）、大学の自治破壊への水先案内人の役割。（沖縄国際大学への米軍ヘリ墜落・炎上事件との相違、時代・場所。本レジメ執筆後、宮本憲一先生よりメール届く、本書84ページ参照）

○建設途中の建物にぶら下がったままの機体を、どうするかの問題と関連して出てきたのが、反科学論で、大型計算機センター自体を敵視する議論

○「議会制民主主義ナンセンス論」⇅エリート意識の裏返し、自分が一般国民・庶民と同じ一票ということが許せない意識下の認識、非（反）弁証法的な単細胞的観念的思考法、政治的社会的帰結としては「内ゲバ」、連合赤軍・浅間山荘事件→社会からの孤立

○見逃せないのが、当時の佐藤栄作政権による暴力学生の政治的利用・「泳がせ政策」政権の大番頭、保利茂官房長官の三派の行動で「なんだ、あいつらはということで自民党の支持が増える」とのたび重なる発言は、当時有名であった。

○その後の世代に、「やっても無駄」との絶望感を与えた。よく言って「いちご白書をもう一度」（自分に甘美な鎮魂歌）。生真面目な「首尾一貫」した人は、「三里塚のイカロス」。

若いだけに先輩友人など偶然の影響も大きい人間にとって動揺やジグザグは当然の事だが、あくまでも人間を大切にするする精神・誠実さが重要。

○だが、最近の安倍政権下での安保法制や反原発のたたかいのなかで、このかつての跳ね上がりの深刻な教訓は、現在の人たちに共有され生かされていることを実感、無駄ではなかった。

＊偏向報道で当時のマスコミの果たした役割、ジャーナリストの在り方。今日、当時を振り返る場合の重要手段は報道記事、現在の公文書改ざん・歴史の偽造へと通じる問題をはらむ。直接私に関連してくる、全くのデマ記事が夕刊一面トップに大きく掲載された経験もある。

学生は特にマスコミの影響受けやすい。

私の反省とその後の実践→「ブルジョアマスコミ・ブル新」論は、「日本は資本主義社会」と主張することと同義語で理論的な意味はない。

マスコミ内部でもたたかいが存在、マスコミも国民のレベルを反映。良心的記事を激励し問題記事を批判し、真のジャーナリズム発展への、国民的探求・共同が重要。**マスコミのレベルも国民のレベルで決まる。**

＊政府与党の、沖縄への差別的負担転嫁策（1952年以来の射爆場反対の内灘闘争、57年の米軍撤収で終息）による、「危機回避」戦略。

沖縄県文書「第２意見書」（2015 年 10 月 21 日）より

2　日本本土と沖縄の米軍基地面積の推移

⑴　日本本土と沖縄の米軍基地（専用施設）面積の推移は、以下のとおりである[3]。

日　本（沖縄を除く）		沖　縄	
		1945（S20）年	4万5000エーカー（約182㎢）
		1951（S26）年	124㎢
1952（S27）年	1352.636㎢		
		1954（S29）年	162㎢
1955（S30）年	1296.360㎢		
1957（S32）年	1005.39 ㎢		
1958（S33）年	660.528㎢	1958（S33）年	176㎢
1960（S35）年	335.204㎢	1960（S35）年	209㎢
1965（S40）年	306.824㎢		
1970（S45）年	214.098㎢		
1972（S47）年	196.991㎢	1972（S47）年	278.925㎢
1985（S60）年	82.675㎢	1985（S60）年	248.61㎢
2013（H25）年	80.919㎢	2013（H25）年	228.072㎢

[3] 1945 年の沖縄の基地面積（4万 5000 エーカーは）、1956（昭和 31）年 6 月 9 日付米国下院軍事委員会特別分科委員会の報告書（いわゆるプライス勧告）により、その余の沖縄返還（復帰）前の沖縄の基地面積は、林博史「沖縄米軍基地の歴史」125 頁による。在日米軍基地面積及び沖縄返還（復帰）後の在沖米軍基地面積は、沖縄県知事公室基地対策課「沖縄の米軍及び自衛隊基地（統計資料集）平成 27 年 3 月」による。

11

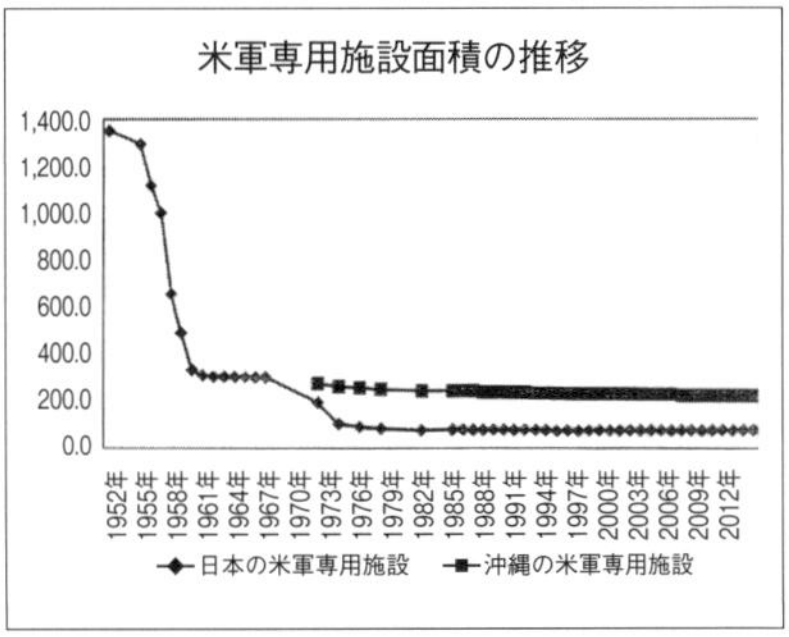

日本本土の米軍基地は、1952 年（昭和 27 年）の対日平和条約発効直後は 2824 施設であったものが、1972 年（昭和 47 年）の沖縄返還（復帰）までの 20 年間で 2709 施設が整備統合され 115 施設にまで減少した。対日平和条約発効から 3 年で 2166 施設が返還され、1955 年（昭和 30 年）には 658 施設にまで激減している。その後も、毎年 100 施設程が整理・統合・削減され、1961 年（昭和 36 年）には 187 施設と対日平和条約発効時の 7 パーセント弱の水準にまで減少した。

⑵　日本本土の米軍基地面積の推移は、上記のとおりであり、日本本土の米軍基地が整理・統合・縮小された時期は、大きく分けると、2 回存する。

1 回目は、1952 年（昭和 27 年）の対日平和条約の発効から 1960 年（昭和 35 年）の「日本国とアメリカ合衆国との間の相互協力及び安全保障条約」（以下、「安保条約」という。）の成立（いわゆる安

12

「沖縄問題」ではなくまさに「日本問題」なのだ。

最近の本土基地拡張の動きについて「沖縄の負担軽減が理由とされるが、沖縄の負担はむしろ増しており、地方に負担を強いる方便…武力強化は危険性を高める」（前泊博盛・沖縄国際大教授）との指摘が重要

＊当時、私たち国民は沖縄の即時・無条件・全面返還を掲げたが、民衆運動の圧力に押されての72年の返還が、改良につながるか「予防的反革命」に終わるかのせめぎあいが今後続くと、私は位置づけた。

＊必要な「永続革命論」的な見方、民主主義（「民衆の支配・民主政」

ということ）は永遠の課題。自分の頭で考えるということ、連帯。各世代での体験の積み重ねと継承・伝統、「人間を大切にする精神」、社会的規範の形成が重要。

〈追記〉

なお当日は、以上の宮下・第一報告に続いて、第二報告・「九州帝国大学の学徒出陣とそれが問いかけるもの」（黒木彬文・元九州国際大学教授）、第三報告・北東アジアの平和と日本、福岡」（石川捷治・九州大学名誉教授）が行われた。

（初出、「福岡の暮らしと自治」、２０１８年９月、４８９号）

本稿の参考文献

〈参考資料…本集会ご参加の方々に謹呈〉

①「宮下和裕・小論集（私家版）」

②「福岡の暮らしと自治」憲法問題臨時増刊号（２０１４年1月）

〈持参・展示資料〉

①基地関係蔵書（基地移転推進協・住民団体・堤康弘氏著作ほか）多数

②60年安保の記録・「われわれの歩んだ道」（１９６２年２月福岡県安保共闘編）、２０１０年９月宮下が復刻版発行

③福岡県自治体問題研究所40周年記念冊子（２０１７年12月）

〈当日・普及・販売資料〉

①「あの時代に戻さないために」（福岡の研究者・法律家の集団執筆）…１，０００円

②「21世紀世代への伝言」（徳本正彦・松見俊・金子勝…特価５００円（定価１，０００円）

③「福岡の暮らしと自治」４４７号（堤康弘論文収録）…１００円

④堤康弘著・「米軍はなぜ板付基地を放棄したか」…２００円

⑤「われわれの歩んだ道」（１９６２年、福岡県安保共闘編・復刻版）…１，０００円（カンパ）

⑥宮下論集「憲法を守り活かす力はどこに・・希望としての地方自治ＰＡＲＴⅢ」…１，５００円

補足資料

① 九大における一連の闘争と自治会選挙の教訓について

全学連第19回定期全国大会（1967年7月、於・東京）**での、中央執行委員としての宮下発言中の一節から**

（冒頭部分、略）

1968年は米原子力空母エンタープライズの寄港に反対する日本人民学生の巨大な闘いの高揚のなかではじまりました。全学連はそのなかで佐世保現地や東京をはじめ全国いたるところで、戦闘的にかつ整然と闘い民主勢力の重要な一翼として大きな役割をはたし、全学連の権威を一層高めました。

そしてこの闘いはアメリカのベトナム侵略に大きな打撃を与え、日本と全世界の人民、学生の闘いに新たな展望をきりひらくものになりました。この闘いのなかで九州大学は全国の学友の期待と激励にこたえ、佐世保現地においても学園においても勇敢に闘い、拠点としての役割を立派にはたしました。

そして、米軍機の九大構内墜落にさいしては、基地撤去、安保条約破棄のスローガンを高くかかげ、学長をもまきこみ全学ぐるみで戦闘的に闘い、全国に大きな影響を与えました。この画期的な闘いの教訓を明らかにするとともに、そのあとおこなわれた自治会選挙で学部の勝利にもかかわらず、教養部で敗北したことの教訓を明らかにすることは安保闘争を闘う強大な全学連をつくりあげていくうえからいっても極めて重要であると考え「禍いを転じて福となす」という積極的な立場から発言したいと思います。

板付基地の滑走路の方が大学から基地までの距離より長く、そのうえ、飛行コースの真下になる位置に九州大学はあります。飛行機が上空をとぶごとに授業が中断され、搭乗員が見えるほどの低空でとび、いつ墜落するかわからない状況にあり、学生教職員の基地撤去の要求はきわめて切実

68年6月2日 米軍戦闘機が九州大構内に墜落。当時の九大学友会委員長の宮下和裕さん（四八）

九州大に入学した66年当時はベトナム戦争が最も激しさを増したころだった。米軍機墜落はベトナム戦争が遠い国の出来事ではないという事実をあらためて示した。そばのコバルト格納庫に墜落していたら大惨事になっていた。私は全学連中央執行委員会出席のため東京にいたが、事故を知って飛んで帰った。

九大上空は米軍機が昼夜の別なく低空飛行しており、墜落事故は必然的なものだ。基地撤去運動は全市民的に広がった。当時、学生たちは平和と大学の自治、日本と世界の民主主義を守ろうと真剣に考えていた。（福岡市、自治体問題研究者）

西日本新聞「戦後50年特集」（1995.8.15）

なものでした。その上、プエブロ号事件以来昼夜の別なく、迷彩入りのジェット機がとびかい、九州大学に学び働く者たちの勉学、研究、労働条件は一層耐えがたいものとなりました。

このようなところへ、6月2日の夜恐れが現実となり、まさに必然的に墜落してきたわけです。建築中の大型電算機センターに日曜日の夜墜落したため、偶然にも人的被害はまぬがれましたが、現場のすぐそばのコバルト60照射室には4000キュリーのコバルトがあり、もしこれに墜落したり、爆弾を抱えていたら半径1・7キロに致死量、9キロ以内にガンマー線が散乱していただろうといわれ、りつ然とする様な情景が想像されます。又、大学の周囲は団地などの人口密集地で、墜落場がちょっとずれただけで未曾有の大惨事になっていたことは明白です。

この事故がおこるや、うっせきした怒りを爆発させて集まった学生教職員1000名は武装米兵や無断侵入の警官を学外に追い出し、どしゃぶりの中を徹夜で抗議の集会とデモをおこないました。

翌日、本学では早朝から2000名の学生教職員が集会と米領事館へのデモをおこない、集会には学長も参加し「板付基地撤去要求」を声明しました。教養部でも本学に呼応し、授業放棄をおこない、学内には学生がいなくなるほどの根こそぎ動員の集会デモとなり、市内の目抜き通りは交差するデモでうずめつくされ市民は共感をもって拍手をおくりました。同時に地区労・社共の主催で抗議集会が開かれ闘いは全市的なものへと広がっていきました。こうした力を背景に4日から学長・教授団がデモの先頭にたつことになり、本学・教養が合流して4日6000、5日4000名の基地撤去・安保破棄を叫ぶデモが市内をねりあるき市民に大きな勇気を与えました。

とくに5日には生協労組が正式に参加し、学内共闘は九大4者共闘として発展しました。その間、6・7全国統一行動の準備がすすめられ、教養部・工学部・法大学院でストライキ、薬・看・理・農などが授業放棄を決定し、福岡地区統一集会には5000名が参加し板付基地に向け5キロの道をデモ行進し、基地拡張のためとりつぶしがたくらまれている県道に1時間すわり込み、基地内集会を慣行しました。

その後「70年安保破棄は九大から」を合言葉に安保終了通告の署名運動、政党討論会、平和大会、ティーチイン、地域住民への働きかけ、京大5者との共同声明、一方的「機体撤収」を阻止する闘い、「移転」候補地への働きかけ、広範な民主団体への共闘よびかけ、帰郷活動等をおこなってきました。爆音その他の基地によって日常うけている被害の怒りと結びついて米軍当局に対して学友一人一人が深い憤りをもち「自分たちや市民の生命の安全を守りたい」という強い要求やアメリカと日本の反動勢力がすすめている反動的政策や軍国主義復活に対する怒り、政治的自覚の高まりに支えられて急速にもりあがったこの闘争の成果は次の点だと思います。

第一に九大にはじまって以来の学生を根こそぎ動員した規模の集会・デモが力強く、整然とかつ短期的に何回も組織されたこと。

第二に学生、職員、大学院生、生協労働者の統一と団結がかってなくうちかためられたことです。

学友会、院協、教職組からなる三者共闘に生協労組が参加し、四者共闘組織として動員力においても、又、評議会にその存在を認めさせただけではなく、決定にさいしては、四者共闘の同意が必要となるほどその権威はいかんなくたかまり、学内民主化、安保闘争をはじめとするこれからの大闘争を支える大きな保証をつくりだしました。

第三に我々の圧倒的多数の怒りを結集した抗議行動と、法学部を中心とする討論会などを通じてエンプラ闘争以降からの教授との具体的な一致点を追求し、それを拡大するねばり強い努力や、教官自身が生命の安全や学問研究ができる環境を強く要求している結果、学長、学部長を一定の闘う立場にたたせ、デモの先頭にして全学ぐるみで闘うことができた。またそのことによって学内に大きな影響を与えることができ、このような学生、教官一体となった行動のなかで多くの教官の考え方がかわり、学内の民主化に役立った。ある学部長は四者共闘と評議会との団結がこの闘いでできたが、もう一回何かおこればがっちりと固まるだろうといったり、また別の学部長は三派がこの闘いに介入するならば闘いは悲劇的な結末をむかえるとのべるようにかわってきました。

第四にエンプラの闘いでは安保破棄まで十分に認識されなかったのにくらべこの闘いでは怒りが一時的なものとしてとどまらず、様々な討論、学習に支えられて基地を撤去するただ一つの道である安保破棄をめざすねばり強い長期的な怒りへと深化していった。

これらの結果、全国で闘っている学友、民主勢力を激励し、闘いを全国的なものに広げていく意識的な努力のなかで、全国的な基地撤去闘争、平和のための闘争に大きく貢献することができた。さらにこれらのことは、アメリカ当局と自民党政府とに大きな打撃を与え、ちょうど闘われていた参院選で安保破棄、生活向上をめざす民主勢力の躍進のため貢献しました。これにくらべトロツキストは「神田をカルチェラタンに」などと叫び、例の通り自民党に奉仕しました。

（以下、略）

② 新しい大学を求めて〈4〉

学問を妨げるものとたたかう中でしっかりした理論を

（「赤旗」1969年4月19日、全国の主要大学関係者のリレー連載から）

昨年6月2日、九州大学構内に米軍ジェット機が墜落した。多くの人々が、このことから安保条約の危険な本質を知り、基地撤去、安保破棄の巨大な闘争が、大学民主化のたたかいとともに発展した。

九大に入学した学生が、一番驚かされることは、板付を離着陸する飛行機が頭上をひっきりなしに飛ぶことである。授業はしばしば中断し、話さえできない。それに加えてさらに〝墜落〟である。九大に学ぶものにとって、勉学すること自体が安保条約によって妨げられ、さらに生命の危険にさらされているといっても過言ではない。

安保条約下の大学―日本の大学の現状をこうとらえるならば、九州大学はその象徴ともいえるだろう。法学部で政治学を専攻している私は、学問することがこんなにまで妨害されている現状に深い怒りを覚えずにはいられない。なぜ祖国がこんな状態におかれているのか？政治学が解明せねばならない問題がここにある。これを避けることは許されないと私は考える。

私は大牟田で育ち、三池の大闘争を目撃した。当時いろいろ考えたが、その深い意味はつかめなかった。九大に入学し、九大祭の仮装行列のコースに県警が不当な干渉をくわえたことにたいする抗議闘争のなかで、権力とはなにか、闘争とはなにか、政治とはなにかということをなまのまま全身で受けとめた。だから私にとって理論は闘争を導く必要不可欠なものであり、自治会活動のなかで学んだことも多かった。

しかし、闘争のさまざまな局面ででてくるトロツキズムなどの反人民的「理論」やゼミ・授業でぶつかる近代政治学や修正主義の「理論」にたいして有効な批判をするためには、体系的で目的意識的な研究が必要なことをそのなかで痛感した。つまり、公式的な結論で満足したり「ナンセンス！」と軽視するのではなく、その理論全体を把握して、それらが、どんな現実と人民のたたかいを無視し、ゆがめようとしているかを暴露し、真に正しい方向を対置することが重要なのだと思う。

これはけっして容易ではない。しかし、私たちは民主的インテリゲンチアとして政治家、組織者であると同時に専門家でもなければならない。持続的な意思と現実への感覚は、多くの学友との討論のなかから生まれてくる、昨年は、学友と「大学民主化とは」「安保とは」などの問題で激論をたたかわせるなかで、古典に立ち帰り、諸外国の文献をも研究する意欲を強くした。私はいま、安保破棄、大学民主化のたたかいに全力をあげるなかで社会主義の理論―プロレタリア独裁の問題を体系づけようと考えている。

われわれがかちとろうとする新しい社会―社会主義社会は、人間の歴史的所産である。その理論も、古典や、各国の経緯を批判的に摂取し、現在直面している問題を分析解明して確立される。そのためにも、必要な語学をおろそかにせず、哲学、経済学をしっかり勉強していかねばならない。社会を、生活を、真剣にみつめ、その変革に参加し、広範な人民と手をとりあうこと―こうしたなかで真の学問をすすめてゆきたい。

（九大法学部学生・学友会委員長）

③単細胞的な思考法

（毎日新聞社「エコノミスト」1974年11月19日号）

最近、教育・教師論議がさかんになった。日本の教育が一つの転機にきていることを反映した現象だろうが、このさい、徹底した論議を望みたい。

さて、今年の日教組大会では、東京都教組がスト決行にあたって保護要員を配置したことにたいして、主流派から「スト破り・裏切り行為」と非難する発言があったと聞く。

これは一見、勇ましい議論だが、こうした発言がでてくる背景として、無意識のうちに、次のような理解があるのではないか。

すなわち、教師がストをやれば政府・自民党がこまるであろうという考え方である。これは政府・自民党が日本の子供のことを、そしてその能力を全面的に発達させることを真剣に考えているという具合に、政府・自民党を美化する理解につながる。

実際、ストをやれば資本家に経済的打撃をあたえることが明白な一般の労働者と違って、教師がストをすることによって直接影響を受けるのが児童・生徒であるだけに、そうした理解が背景にあるとしか思えない。

かって私が学生であったころ、全共闘系の諸君が「帝大解体」を叫んだことがある。これはできもしないことだが、政府・自民党は彼らの封鎖や暴力によって大学の機能が破壊されたりしてもこまりもしないという態度をとった。

このときの全共闘諸君の甘い考えの背景には、封鎖で大学の機能をマヒさせれば政府・自民党がこまるという考え方があった。

このさい、ついでにのべておけば、こうした勇ましいが機械的単細胞的な議論は、現実を生き生きとリアルに理解することを防げる○×式（オール・オア・ナッシング）の試験制度によって促進させられたものではないのだろうか。

このような機械的単細胞的思考パターンは、日教組が反対してきた中教審路線が生み出たものである。

そしてこの議論は、たんに機械的単細胞的であるから危険だというのではなく、無意識のうちにも支配者を美化し、その政策遂行を容易にするものだという点で、私はもっとも危険なものを感じている。

（福岡市・新聞編集・27歳）

④自由と民主主義宣言（案）についての補強意見

（日本共産党・党報　特別号、No.3　1976年7月25日）

※連合政権論など、以下の私の意見も取り入れられて、採択された。

一．第一章の「民族の自由の放棄」の項のはじめあたりに、憲法前文で国家主権をうたった部分を入れる。

（理由）①前二項では、それぞれ憲法の該当する個所をそう入しているなかで整合性をもたせる。もしここで、そう入しないままならば、民族の自由については、あたかも憲法はなにもいっていないかのような印象をあたえる。②「自由と民主主義の宣言」（案）自身が、憲法の民主的側面に依拠し、発展させようとする立場にたっており、かつ憲法改悪阻止というわが党の姿を鮮明にすることになる。

二．憲法五原則に三権分立をくわえ、六原則として定式化する。

（理由）三権分立論については、この間の経過もあって、一定のスペースをとるという意味では、その通りだと思うが、三権分立は、まさに憲法によって規定されているのであり、五原則と並列的にならべるよりか、くみこむほうが自然であるし、整合性がたもてる。

三．第二章（イ）「その第一は、西ヨーロッパ諸国と違って、日本の支配的ブルジョワジーが、……自由と民主主義の抑圧推進者となってきたことである」という記述について、なぜそうなったかということを説明する文言がほしい。

これは、論争の多い明治維新論にたちいることになるが、最小限ふれるべきだ、こうすることによって、その後の自由民権運動の位置づけ、評価がはっきりするし、その後の民主化闘争（日本革命の路線）をはっきりさせることにつながってくるように思われる。

これに関連して、同じ（イ）の自由民権運動の項も、幕末から明治憲法制定時あたりまでの期間を、一つの過程としてとらえられるような説明がほしい。

四．第二章の（二）の「第二は、自由と民主主義の課題の内容として、……」のところの「新しい多面的な課題がくわわり、」の「がくわわり」を削除し、「民族の自由をかちとるという課題が」のあとの「くわわったことである」を削除し、「前面にでてきた」という表現にする。

（理由）三つの課題が並立的にとらえられるおそれがあるので。

五．第三章の（二）の、現在の社会主義国のもとでの「市民的政治的自由」「民族の自由」についてふれた部分は、否定的事例ばかりあげられているが、ベトナムの経験、実情など、積極的事例もいれる。

（理由）そうしなければ、「生存の自由」の面では、現在の社会主義国のなかに積極面はあるが、「市民的政治的自由」「民族の自由」については積極面がないかのような印象をあたえることになる。

六．第四章の（2）のなかの「政治的民主主義の発展」の項の（イ）の「すべての政党に活動の自由を保障し」のあとの「選挙で国民多数の支持をえた政党が単独または連合で政権を担当する」を「選挙で国民多数の支持をえた単独または連合した政党が政権を担当する」にあらためる。

（理由）たとえば、将来いくつかの政党の力が均衡し、第一党が野党になり、第二、第三党あたりが連合して過半数をしめたり、あるいは第一党を上まわり、政権をとる可能性もある。ところが（案）の表現では、こうした場合を排除する立場にあるかのような誤解をあたえる。実際には、いくつかの政党のうち、相対多数をしめた党がかならずしも政権につくとはかぎらない以上、正確な表現にすべきだ。

第二節

6・2に九大米軍機墜落51周年で、旧九大四者共闘系と旧反戦系で協力して統一集会の開催を決定

（みやした・メールじょうほう・2019・03・16より）

1968年にプエブロ号事件後の当時の緊迫した朝鮮情勢のもと、九大に米軍偵察・戦闘機が墜落して51年目になる、6・2に福岡市箱崎の県教育会館で、旧九大四者共闘系と旧反戦系の皆さんが協力共同しての集会が、沖縄・辺野古と連帯して開かれることになりました。案内チラシを添付します。

四者共闘とは九大教職組、九大学友会、大学院生協議会などから構成され、板付基地撤去、大学民主化、学園暴力一掃のための学内共闘組織でした（「福岡の暮らしと自治」18年9月号掲載の宮下レポート、本書前節参照）。私は当時学友会の幹部でしたので、今回の協議にも当初から参加しました。

旧反戦系の、特に私から見たら大先輩にあたる80歳を超えた方々の、真剣な対応には感動しました。もちろん暴力反対ということは、当然の前提となっています。

度重なる協議を経て、ついに昨日の第3回呼びかけ人会議で、案内チラシの内容が確定しました。デザイナーの研究所・K会員のご尽力で、先ほど立派な案内チラシが刷り上がりました。チラシの内容はさらに充実させていく予定です。

明日17日、福岡市冷泉公園での総がかり実行委員会主催の3・17県民憲法集会で、このチラシを、呼びかけ人で配布します。

安倍政権の暴走の下、今70歳前から90歳までの36名が呼びかけ人になっています。九大ＯＢの市

民連合的なものができたと、いってよいかもしれません。中身は、辺野古からの現地報告（浦島悦子さん・フリーライター、九大文学部卒）をはじめ、沖縄の「王府おもろ」継承者の安仁屋眞昭さん（元芸工大助教授）の訴え、専門家の意見発表など、福岡開催ならではの、中身のあるリレートークを準備中です。

第三節

沖縄と日本の民主主義、憲法と地方自治

―「九大ファントム墜落51年、辺野古が問いかけているもの6・2集会」での報告から―

＊本稿は2019年6月2日、福岡市東区の県教育会館で開催された「九大ファントム墜落51年、辺野古が問いかけているもの6・2集会」(主催・九大6・2の会）の第二部、リレートークでの報告を基礎にまとめたものです。登壇者は7人、私は3番目の発言で、参加者は150名でした。

沖縄と私、民族の独立

先日の定期健診で、主治医から「十二指腸の入口に少し炎症がある、酒を飲んでいませんか」といわれました。私は「晩酌もしないし、心当たりはない」と返事したのですが、よく考えたら3年くらい前から毎日、泡盛を飲んでいました。

6.2集会で報告する筆者

しかも生《き》で飲んでいました。「何か日常的にできる沖縄支援はないか」ということで、小さな湯飲みで3杯ほど飲んでいました。もっぱら沖縄支援という意識だけで、酒を飲んでいるという意識はありませんでした。医者の指摘で「あっ、そうか」と気づき、現在は沖縄モズクに「転向」して、毎日食べて「支援」に取り組んでいます。

私は子どもの頃から、国粋主義の傾向があった父親の影響で、民族主義者でした。しかし父親の朝鮮（韓国）人への多少の差別的言辞にも厳しく

反応するような、純真な民族主義者でした。沖縄問題や李承晩ラインによる日本漁船の拿捕には、子どものころから素朴な怒りを感じていました。

実は、欧米や日本の植民地支配が続いたアジアでは、民族的な意識から民主主義、社会主義に近づいた人がいっぱいいいました。ホーチミンなんかもそうでした。

53年前の4月、九大に入学して最初に参加した集会とデモは、4・28の統一行動でした。この日は本土の「独立」と引き換えに、沖縄や小笠原を切り離して米軍統治のままに据え置いた、サンフランシスコ講和条約が発効した日です。

そして九大に入学した時には、今日も参加されている村岡五十次さんが一学年上のＪ7・クラスでしたが、村岡さんを始め上級生の皆さんが、立派なクラス・オリエンテーションをやっていただき、先輩たちがまぶしく見えました。「自治って素晴らしいな」と心から感動しました。

自分の考えで活動できるんだ、自分もみんなに訴えなきゃいけないと、4・28を前に資料を作ってクラス討議をやった時、「沖縄では、英語で話されているのか」と質問した人がいました。唖然として絶句した覚えがあります。そのクラスメートは、あとでえらく出世しましたが、そういう認識、現実がありました。

当時、沖縄出身の学生は、みんなパスポートを持って九大に「留学」していました。いろんなトラブルに巻き込まれると追放される、帰されるというか、そういう事を気にして生活せざるを得ない状況でした。

レジメでも書いていますが、民族自決権、民族独立の問題は、民族問題における民主主義の問題で、戦後の日本国民にとっての一貫した課題です。

私たちが学生の頃は、日本は自立しているという意味で「日帝」という表現を使う人たちがいました。私たちは、日本は発達した資本主義国であるけれども、アメリカに従属しているということを主張していましたが、これは現在では良し悪しは別にして、世間の常識になっています。

最近では、「戦後日本の『国体』は、『対米従属』」との白井 聡先生（京都精華大学）の表現が、有名になりましたが、いわゆる沖縄問題は、戦後国民全体の課題、日本問題なのです。法律論からも、「安保に基づく法体系」と「日本国憲法に基づく法体系」と二つの法体系あり、残念ながら安保に基づく法体系の方が上位にあるということは、私たちが学生時代に仰ぎ見た渡辺洋三、長谷川正安、戒能通孝とか、いろんな当時のマルクス主義、民主主義の法学者たちが、かなり早くから主張されていて、そういうのが今日、否定しよう

写真コラム

写真奥左端の、ヘルメットとヤッケ姿が筆者（20歳）

72年5月の沖縄の本土「復帰」まで、米軍（アメリカ）統治時代には、マークされると本土と沖縄の往来も認められない中で、本土と沖縄の事実上の「国境」であった27度線上の海上で沖縄の祖国復帰を求めて4・28海上大会が開かれていた。

写真は68年の第6回沖縄返還海上大会、沖縄代表と本土の代表1，500人が激励しあった。大会では民族の怒りをこめて「沖縄を返せ」を洋上にひびかせた（写真は沖縄代表団の船上から・JPS、「前衛」68年7月号グラビア写真より）

がない常識となっています。

昨年8月に亡くなった翁長雄志・沖縄県知事も、憲法の上に日米地位協定があり、国会のうえに日米合同会議がある、そういう世界の常識に反するようなことが日本で起こっていると主張されてきました。たとえばドイツやフランスでも、米軍は駐屯している当該国の国内法に基本的には規定されています。ところが日本はまったく違います。民族の独立が今でも私たちの課題なんだ、ということをしっかり認識すべきと思います。

暴力否定・民主主義論と「反帝・反スターー」、協力・共同の条件の広がり

それから本日の集会は、暴力反対ということを当然の前提として開催に至りましたが、91年12月にソ連が崩壊した後、当時「松原ＯＢ会」といって学生時代に大学の民主化・暴力の一掃を掲げて、全学連や四者共闘に結集してたたかった仲間で作っていた、同窓会的な会があり、機関紙の発行、討論会・交流会を重ねていたのですが、私は事務局、世話役の一人でした。それらが主催して「大学紛争の時代を考える」というフォーラムを，95年11月に医学部の恵愛団で開催したことがあります。

ここで私は「大学紛争は日本の革新運動に何をもたらしたか」、という報告を依頼されておこないました。この時のメモが残っていますが、冒頭が「戦後民主主義の否定論・大学の暴力支配のなかで、民主主義理論の深化と発展、それがその後の路線ともなった」ということでした。次の項が「反帝・反スターを考える」でした。

「反帝・反スターー」、これはいうまでもなく当時の新左翼の決まり文句でした。「左右の全体主義批判」、これは民社党・同盟系がよく使用していた表現でしたが、「これらには根拠があった」と報告しました。同時に新しい情勢としては、「協力・

共同、力を合わせるという条件が広がったと見るべきだ」ということも申し上げました。聞いていた理論家のU先輩（工学部出身）が、「今日の宮下君の話ぶりは、ロシア革命時に活躍したトロッキーの演説のようだと思った」との表現で、思いがけなく褒めてくれた、嬉しい思い出があります。
　最近、「リスペクト」という表現がよく使われ、野党共闘を掲げて市民連合などが活躍していることにも、この時の報告はつながると思っています。さらには本日の集会自体にも、そういう意味があり、さらには大学闘争50年後の、主要大学の一つでの組織的、大掛かりな統一・共同集会ということで、全国的にも珍しい特別の意義を持っているのではないかと思います。この時の報告にはまだ続きがありますが、昔の話はこの程度にして、本題に入ります。

〈日本国憲法の構成〉

前文
第一章　天皇
第二章　戦争の放棄
第三章　国民の権利及び義務
第四章　国会
第五章　内閣
第六章　司法
第七章　財政
第八章　地方自治
第九章　改正
第十章　最高法規
第十一章　補則

第八章　地方自治

第九十二条　地方公共団体の組織及び運営に関する事項は、地方自治の本旨に基いて、法律でこれを定める。
第九十三条　地方公共団体には、法律の定めるところにより、その議事機関として議会を設置する。
②　地方公共団体の長、その議会の議員及び法律の定めるその他の吏員は、その地方公共団体の住民が、直接これを選挙する。
第九十四条　地方公共団体は、その財産を管理し、事務を処理し、及び行政を執行する権能を有し、法律の範囲内で条例を制定することができる。
第九十五条　一の地方公共団体のみに適用される特別法は、法律の定めるところにより、その地方公共団体の住民の投票においてその過半数の同意を得なければ、国会は、これを制定することができない。

まともな地方自治がなければ、憲法三原理は絵に描いた餅になる

本題の憲法と地方自治、沖縄についてですが、憲法の章立てと地方自治を規定した憲法第八章を、レジメに全文紹介（別掲）していますが、簡単にいうと、憲法と地方自治の関係、これはいったいどういう関係にあるのか、ということをお話ししたいと思います。

これは私が30年近く言い続けてきたことですが、一言でいえば、「**まともな地方自治がなければ、憲法三原理は絵に描いた餅になる**」ということです。憲法三原理とは、国民主権、平和主義、基本的人権の尊重の三つです。いわばこの憲法三原理を保障する土台としての地方自治、そういうものとして日本国憲法の全体系上の地方自治の存在、規定があります。

私たちが始めた博多港引き揚げの市民運動でいえば、博多港が日本一の引き揚港だったんですが、そのことを市民に訴えて、広範な関係者、市民の参加で強力な市民運動となり、とうとう福岡市が引き揚げ記念碑（「那の津往還」、豊福知徳・作、93年3月に落成）を建てました。糸山泰夫さんという引き揚げ船の船長だった方の、新聞投書から始まった運動でした（本書第五章第三節参照）。そういう運動がなければ平和の問題も達成できないし、国民主権も達成できない。基本的人権も達成できない。公害防止や住民福祉の問題などは戦後の歴史を見れば、まさに地方から始まって国政が動いた典型例です。そういう憲法の全体系を保障する土台としての地方自治の規定があります。単なる地方自治があるのではない、ということです。地方自治の憲法上の、全体系上の存在意味を、再認識する必要があります。

そういう意味では、もうひとつ言葉を変えて言うと、よく三権分立と言われますね。国会・内閣・

司法で三権分立といわれますが、地方自治も併せた「四権分立」を、実は日本国憲法は規定しているということを、わたしは主張してきました。実際、憲法の章立てと第八章を見るとそうなっています。昔は私のこの話を聞いて笑う人もいました。日本では「三権分立」といわれ過ぎます。本質的には「権力の分立」が、基本概念です。

今の自治体は、特に憲法94条で、戦前の地方公共団体と違って、国民の自由や権利を制限するような権限（いわゆる「行政事務」）を執行する権能を、持っています。昔は持たなかった、持っているのは中央政府とその出先だけでした。こういう権限を憲法によって、戦後持つようになったから公害規制、建築規制などもできるようになりました。統治団体、権力団体となったわけです、それを活かせないといけません。

憲法は、不十分な点があるから、特に地方自治で不十分な点があるから変えなきゃいけない、いわゆる「加憲」すべきという意見がけっこう幅を利かせていました。それは日本国憲法の規定が持つ革命的な意味、地方分権の意味というものをよく理解していないことから出てくる意見です。だからそれを活用して本当に良いものにすることが重要です。ところが憲法第八章の地方自治の規定を活用せず、逆にネグレクトしたのが、戦後の自民党政府でした。それを乗り越えて国民が、今から日本国憲法も活かして、立派な地方自治を作っていかなきゃいけないということです。

特筆すべき板付基地・北側県道問題と、相次いだ基地撤去のたたかい

それからレジメに、福岡県自治体問題研究所の「福岡の暮らしと自治」489号（2018年9月、本章第一節）の一部コピーを入れていますが、皆さんに是非思い出してもらいたいというか、知らな

い人には知ってもらいたいのは、この福岡で板付基地の北側県道問題というのがあったということです。

　米軍機が離発着すると近くの市道、県道なんかは、まるで鉄道の踏切のように遮断機を降ろして、車を通さないようにする。そうしないと離発着できない。そういう狭隘な飛行場だったので、当時の阿部源蔵福岡市長は、１９６２年２月に市道を廃止するため警官隊を市議会に導入して、強行採決したことがありました。翌年１月には、県が管理する県道も廃止しようとする動きがありました。なんと、国（防衛施設庁）が勝手に工事をして県道をなくしてしまおうとした、驚くべき事件です。

　長く平和運動をやっておられた田中　潔さんという方が、たまたま出勤途上のバスからそれに気づき、大問題となりました。まるで自治がなかった戦前や戦中ならいざ知らず、地方自治が第八章で憲法上の存在となったもとで、とうてい認められない暴挙でした。それで、当時は鵜崎多一さんが福岡県知事でしたけども、国にたいして原状回復命令を出

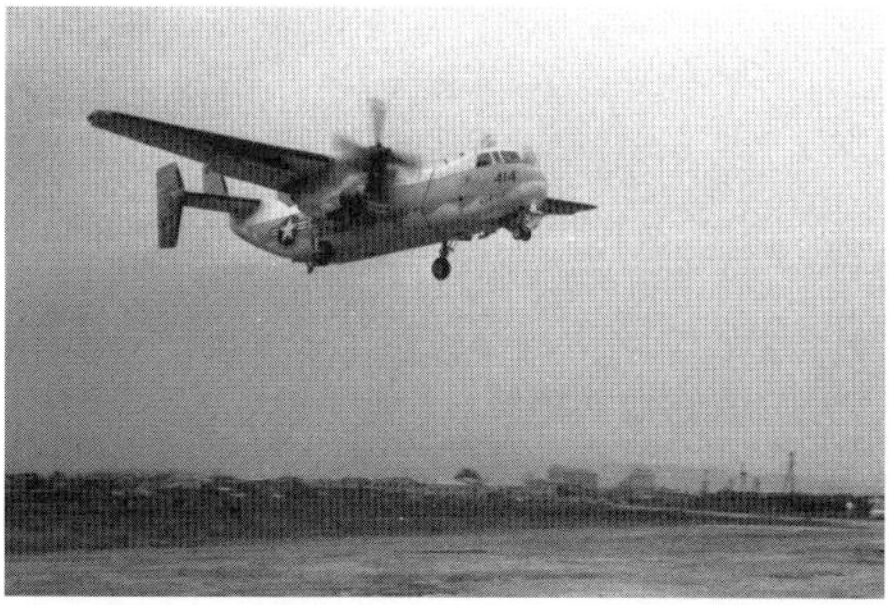

米軍板付基地の北側県道上空を着陸直前の輸送機・アメリカ海軍 ロッキード　C-2A（RG-414）
撮影日：1969/05/30
米軍の元パイロットのチャーリーマイクさんが、以下の説明つきでインターネットの投稿サイトで公開。
「この機体は、1970/12/15 にトンキン湾にてCVA-61 レンジャーからの離艦に失敗し海上に墜落した様です。撮影日はおおよそです。この当時の福岡空港（板付基地）の様子ですが、これは北エンド西側から撮ったものです。機体の下は、県道で、航空機の離発着時に信号がカンカン鳴って通行止めになる程度の素朴なものでした。写っていませんが、この右にアラートハンガー（跡）が有りました。」

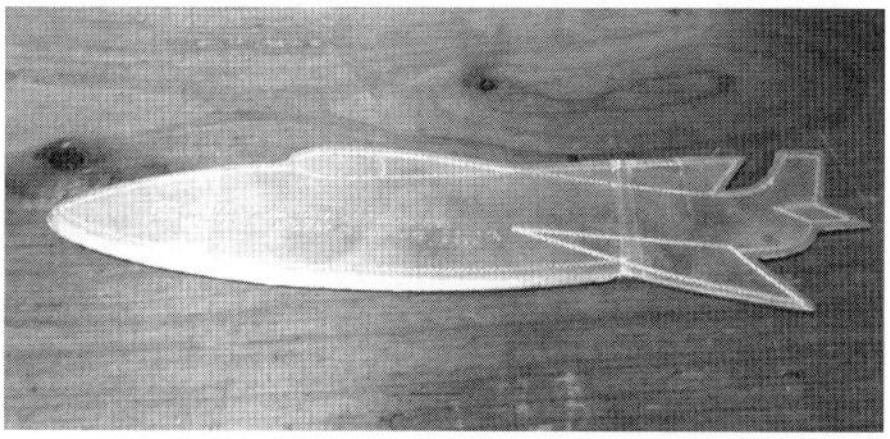

ベトナム戦争で 2,000 機目に撃墜された米軍機のジュラルミンで作ったペーパーナイフ

しました。そしたら国はしょうがなくて雑な工事で県道を回復しました。そうしたら、こんなんではだめだ、道路というのはいろんな規定があって造られている、その規定通りできちんと再建せよと、県は二回目の原状回復命令を出して、元通りに回復させたことがありました。県道については県知事ですが、自治体というのは、そういう独自の固有の権限を持っています。

先ほど権力団体になったというか、今の憲法というのは、戦前と全然違うのだと言いましたが、その具体的応用が基地問題に関連して、この福岡で行われていたということを知っていただきたい。

九大にファントムが墜ちる前に、福岡での長いたたかいがあった

やむなく政府の方は県道を復旧した、そういう事をさせたのは憲法を活用した自治体、住民の力です。特に板付では、荒木栄の「この勝利、ひびけ、とどろけ」で有名な、北側県道事件の直後ですが、62年3月の板付包囲十万人集会をはじめ、相次いで大集会が取り組まれています。

ベトナム戦争を止めよという、当時の運動の状況を思い出していただくために、今日持って来たものを紹介します。これは当時ベトナム人民によって撃墜された2,000機目の米軍機のジュラルミンで造った、ファントムを模したペーパーナイフ（写真参照）です。ベトナム人民支援運動のなかで手に入れて、私はこれを捨てないで50年、書斎の机の上に飾ってきましたが、そういう時代があったこと、この福岡は全国でも先進的な運動が行われていたところでした。

当時の状況を少し詳しくたどれば、63年12月、米軍がＦ105は横田へ・Ｆ104は本国へ、板付は予備基地にと発表、64年1月26日第3回板付大集会（7万人）が米軍追い出し集会に、5月

28日最後の米軍機が横田に移動しています。その後68年1月の北朝鮮に米艦艇が拿捕されるという、プエブロ号事件が発生して緊張が激化、そういう中で68年6月2日にファントムが九大に墜ちるという経過でした。そこでさらに全市民的な基地撤去運動が盛り上がって、板付基地は先ほどからのお話に合ったように、いまだに残ってはいますが、本体は基本的には撤去されました。

九大にファントムが墜ちる前に、その前段には福岡での長いたたかいがあって、初めて基地撤去が実現したということを知っていただけたらと思います。ただし私たちは当時、米軍基地に自衛隊や民間航空会社が居候する、それまでの「共同使用」から、日本側の負担で日常は維持しておき、いざというときは米軍が自由に使える、「逆の共同使用」に変わったと定義していました。これは現在も変更されていません。

憲法制定後の戦後の歴史が、国民にとっての憲法の制定過程

話すと長くなりますのでとにかく簡単に言いますと、憲法はわずか1年足らずの短い期間でGHQ、米軍の都合もあって早くできました。僕は憲法の制定の歴史は、実はこの1年間ではなくて、その後の歴史ですね、その後の戦後の歴史そのものが、国民にとっての憲法の実質的な制定過程だった、と主張してきました。それが地方自治を、特に公害反対運動なんかを通じて憲法94条でうたわれた、自治体の条例制定権を活用して、公害規制の条例を作り、憲法・地方自治を国民が自らの物、骨肉、血肉にしていきました。そういうことがあって、憲法は現行憲法としては明文改正されずに、世界最長の72年も続いてきたとみるべきです。今、憲法学者でもそういう言い方をする人が出てきています。憲法は守るものではなく創

るもので、「未完のプロジェクト」ともいわれています。

沖縄の心と民主主義、将来社会の展望

最後に申し上げたいことは、沖縄にある基地の「本土移転論」が、長く沖縄では主張されなかった事情についてです。**それは悲惨な戦争体験があるだけに、それを、基地を本土にかぶれとは言えなかった**というのが、本質的な事情です。本土のわれわれはそこをしっかり受け止めるべきと考えます。

先日の5月5日に、沖縄で開催されたシンポジウムでのデニー知事の訴えは、私の心に響きました。『沖縄での新基地強要は、全国の自治体にとっても大きな脅威であり、全国的な自治、民主主義の破壊でもある』との指摘でした。沖縄県民は日本全国に対する基地強要、自治・民主主義破壊攻撃の最前線で、たたかっています。同時に**沖縄の負担軽減に名を借りた、日米軍事同盟の強化も、安倍政権によって進行中**です。

世界の歴史を見れば分かるように軍事独裁政権、朝鮮（韓）半島も最近までそうでしたけども、そういう軍事独裁政権と民主主義・地方自治は、全く両立しません。民主主義・地方自治とは、そういうものです。

先ほどソ連や旧社会主義体制の崩壊とかに触れましたが、社会主義陣営、民族解放運動、発達した資本主義諸国の革命運動、という「三大革命勢力」がさかんに唱えられた50年前とは、全然違う世界の構造となっています。ジェット機が落ちる前年の1967年がロシア革命50周年でした。レーニンの横顔を描いたロシア50周年記念バッヂ、私はそれを気に入っていましたので、本日も付けてきましたが、あれから52年、ロシア革命から102年です。あの時ロシア革命はかなり昔の出

来事ように感じていましたが、それ以上の年輪を私たちは刻んできたわけです。そうした歴史を踏まえて今日の時点で考えれば、民主主義を発展させる。これが将来社会の展望としては、決定的に大切なことだと思います。

その例はいっぱい生まれています。わかりやすい例で言えば、かつて１９７３年に端を発したオイルショックの際、火事場泥棒的な買い占めが横行しましたが、神戸や東北の大震災になかでも、現在はそういうことはなかなかできないようになっていますね。社会的批判、国民の監視の目があるからです。

これは、単に国有化すればうまくいくのではなくて、みんなの協同の力のよる社会的な管理・規制とか、民主主義のレベルの問題、そういうことが実は、将来社会の展望、それが民主主義（民衆による支配の政治体制）を、私たちが創っていく、切り拓いていくということです。上から押さえつけて国民を支配するのではありません。

お手元に、「米軍機墜落と米軍板付基地撤去運動」と題する小冊子を配っております。私の若い頃から最近までの一部の論稿をまとめた、私家版の小論集ですが、そういうあたりの問題意識については、詳しくはこれをご覧いただければありがたいです。

そしてレジメの最後に記していますが、２００６年に亡くなった鶴見和子さん、15年7月に亡くなったべ平連の創始者、鶴見俊介さんのお姉さんですが、この方の「遺言・・・斃《たお》れてのち元《はじ》まる」（藤原書店、２０１８年7月）に収録されている「遺す言葉」の一節、短歌を紹介させていただいて、終わりとします。

＊憲法9条・・・「日本列島戦略基地に組み込まれ修羅を招くや我が去りし後に」

＊多様性の存在を認めることの重要性・・・「山に潜み海へ還りし熊楠とクストーは共に地球守り人」

リレートークとフロアーからの発言を受けての再発言

存在していた大学の自治

今、沖縄国際大学に米軍ヘリコプターが墜落した時の話が、安仁屋眞昭先生から出ましたけども、私のレジメに宮本憲一・元滋賀大学学長（大阪市立大学名誉教授）が送ってくださったメール（別項）を紹介していますので、ぜひご覧ください。

ジェット機が墜ちた当日は、私は全学連の中執会議で東京にいましたので、あわてて帰ってきました。当日は先ほど紹介した村岡先輩などもそうですが、学生、教職員、住民が激しく抗議するなか、MPが来てカービン銃を突きつけ、「出ていけ」と脅したのですが、結局彼らの方が学外に追い出されてしまいました。激しい抗議の力で、追い出したのです。米軍機は翌年の1月5日の未明に、事態収拾を急いだ大学の最高幹部が工事業者に依頼したといわれていますが、「何者」かによって引き下ろされるまで、7か月以上もぶら下がったままでした。沖縄国際大学での事例を見るまでもなく、今日では信じられないような事態でした。

当時は、「大学の自治は存在しない」と主張し

宮本憲一先生よりのメール
（元滋賀大学学長・大阪市立大学名誉教授）

宮下様

九大ジェット機墜落50周年記念集会の企画は素晴らしい。私も1968年に現場を見学し、九大の措置に拍手喝さいをしました。

沖縄国際大学の米軍機墜落の際に、学長の許可もなく米軍が処理に入ったのは、大学の自治の侵害です。ちょうど滋賀大学長をしていたので理事会に九大当局の措置と沖縄国際大学の悲劇を比較説明し、事務当局に米軍や警察の学内の立ち入りは学長の許可なしに認めないことを改めて訓告しました。

九大の大学自治の教訓が、沖縄では守れていないことの中にも、沖縄の悲劇があります。

20180618　宮本憲一

ていた人たちもいましたが、大学の自治は確実に存在していました。窃盗事件か何かで警察が学内に捜査に入る場合でも、勝手に学内に入ることはできずに、学生自治会の代表の立ち合いが必要でした。私は教養部の自治会委員長時代に、何度も立ち会った経験があります。九大の場合は旧帝大というか、社会的地位が大きかったということもあると思いますが、米軍も大学の自治を無視できなかったのです。

加えてその前には10万人の板付基地包囲集会に象徴される市民の大きな闘いがあり、それに包み込まれて地域と大学での運動が一気に、また燃え上がったという経過でした。大学の自治は大学関係者ばかりでなく、広範な市民によって支えられていました。

大学の自治も民主主義の一環ですが、民主主義というのは、同じ憲法があるから同じレベルの民主主義があるというものではありません。同じ憲法下であっても、実現しているのはその80%か、60%か、あるいは10%か、さらには逆にマイナスかというのは、その時のさまざまな力関係というか、総合的な力で決まっていくと思います。それを主権者、国民の運動によって少しでも良くしていく、先ほど米軍機が墜落した香椎での運動の報告がありましたが、みんながそれぞれの地域で日常的に取り組んでいくしかありません。

沖縄のたたかいの崇高さ

今、沖縄では、非常に崇高な使命を持った国民的なたたかいがおこなわれています。先ほど紹介した沖縄のデニー知事の最近の発言、「沖縄での新基地強要は、全国の自治体にも大きな脅威を与える」、そういう視点でデニー知事は頑張っています。沖縄での今新基地強要というのは、沖縄だけでなく全国の、今次々と計画が明らかになっていますね。そういうことを一気にやっていくというのが、安倍政権の動きを、先頭に立ってやめさせようというのが、沖縄のたたかいです。

よく沖縄は差別されてきたといわれます。まったくその通りです。だけども沖縄と本土全体は一つの国民であるということ自体が、実は力なんです。これは重要なことですが、意外と語られていません。それがなかったら沖縄は孤立します。それがあったから沖縄は、なんとか曲がりなりにも支えられてきた。そして繰り返しますが、長く沖縄県民は県外移転とか言わなかった、戦争を悲惨な地上戦を体験しているからです。そういうことを、本土の人たちに味わってもらいたいとは、言えなかったわけです。

今沖縄は、どういう位置にあるか、私たち日本国民の一番先頭に立って頑張っている、そういう中での新たな国民的連帯の構築というか、民族自決権とか民族の独立、民主主義のレベルは、高度に発達した資本主義の日本でありながら、依然として世界の物笑いになるような現状にあります。そうした課題があるということが、今日のシンポジウムではいっそう明白になったではないかと思います。

（初出、「福岡の暮らしと自治」、２０２０年2月、５０６号）

お寄せいただいた感想から

前掲の拙稿に、ありがたい感想をお寄せいただきました。到着順に掲載。

◎**力丸　世一**（会員）

1月15日付の所報、「沖縄と日本の民主主義、憲法と地方自治」、大変読み応えのある記事で私自身が知らない事も多く、学ばせて頂きました。

「九大にファントムが墜ちる前に、福岡での長いたたかいがあった」ことは、全く知りませんでした。同じ年の宮下様が頑張っておられたとき、私は極楽とんぼ、ぼ～と生きていたようです。恥ずかしい！

◎**岩元　泉**（鹿児島大学・名誉教授）

1月号の所報が届きました。早速読ませていただきました。私が九大に入学したのが、昭和43年4月で、6月2日にジェット機が墜落しました。そのまま単純に学生運動に入りましたので、その背景や、それ以前の板付基地の撤去運動も知らずにいました。

それらの動きが沖縄の問題や地方自治に繋がっていることがよく分かりました。自分自身の過去を省みて、なんとなく関わってきた活動が意味のあるものだったということを改めて教えていただきました。現在準備中のご著書も楽しみにしています。

◎**西本　恵司**（広島修道大学・名誉教授）

宮下さんの多面にわたる行動や言動に、私はとてもとても追いつくことさえできないのですが、それでも多くのことを学ばせてもらっているように思います。

今回「暮らしと自治」1月号の「沖縄と日本の民主主義、憲法と地方自治」を読ませていただきました。言うまでもありませんが、これをしっかり把握することはとてもできません。でも、宮下さんの考え、主張、情熱には、少なくとも共感できるところがあります。

それは、地方自治こそは憲法を支える土台である、という信念をもっていらっしゃること。そして、その地方自治では、将来私たちがどんな社会を目指すか、ということに、宮下さんが様々な取り組み・実践を通して、あつく情熱を燃やし続けていらっしゃるということ。

これからも、多くのことを教えてもらいながら、私自身も考え、学んでいきたいと思います。

◎**戸田　敏さん**（熊本市在住、京大・経卒）

私も82歳となり、そろそろ店じまいをと感じていましたが、宮下さんには大きく刺激をいただきました。「沖縄と日本の民主主義、憲法と地方自治」の論文のなかで、「まともな地方自治がなければ、憲法三原則は絵に描いた餅になる」「憲法三原則を保障する土台として地方自治の規定があり」「日本憲法の規定がもつ革命的な意味」を「活用して本当によいものにすることが重要です」とあります。本当にその通りだと思います。自治体の役割が真に発揮されるように頑張っていく必要があると強く感じました。

「将来社会の展望、それが民主主義であり、それを私たちがつくっていく、切り開いていく」ということ、『同じ憲法下にあっても、実現しているのはその80％か・・・、さらには逆にマイナスかと言うのは、その時のさまざまな力関係、総合的な力関係で決まっていく』、これ等の指摘は、自治体に憲法にふさわしい役割を果たさせていく必要を強く感じさせるものでした。

また、沖縄に関して、「長く沖縄県民は県外移転とか言わなかった、戦争を悲惨な地上戦を体験しているからです。そういうことを、本土の人たちに味わってもらいたいとは言えなかったわけです」、これは我々が銘記しなければならない言葉でした。

補足資料

◎昨日の九大6・2集会、今日の毎日が報道
（福岡みやした・メールじょうほう・2019・06・03）

沖縄・辺野古から訴え

九大ファントム墜落51年集会

沖縄県の辺野古基地の建設反対運動を語る浦島さん

九州大箱崎キャンパスに米軍ファントム偵察機が墜落して51年となる2日、東区の県教育会館で「九大ファントム墜落51年、辺野古が問いかけているもの　6・2集会」が開かれた。

1968年6月2日、米軍板付基地（現福岡空港）を発進したファントム偵察機が墜落した。けが人はなかったが、これを機に学生、市民らが反戦平和のデモを繰り広げ、72年、板付基地の大半が日本へ返還された。その一方で沖縄の米軍基地は強化されていった。

集会は当時の学生や大学関係者、市民約150人が参加し、沖縄からの報告を聞いて議論した。墜落当時、九大文学部の学生だったフリーライター、浦島悦子さん(71)は90年に沖縄に移住し、居住地でもある名護市で米軍辺野古基地建設反対運動に関わってきた。

浦島さんは「新基地建設反対の民意は示されているのに、国は受け入れない。民主主義、地方自治をねじ曲げている」と批判。「皆さんの身にも降り掛かってくることで、自分たちのこととして考えてほしい」と参加者に訴えた。

その後、7人が壇上から「沖縄との連帯」などをテーマに語った。【松田幸三】

昨日の米軍ジェット機九大墜落51周年、辺野古との連帯集会へは150名の関係者が集まり盛会でした。今日の毎日新聞が、報じていただきましたので、紹介します。

◎「国交省予算で福岡空港の米軍施設移設」問題で、戦時中の板付基地建設に勤労動員させられた、安東　毅先生（九大名誉教授、6・2よびかけ人）からメール

（同2019・07・16）

宮下様　米軍機の九大構内墜落後の現空港西側に米軍機と自衛隊機のための施設棟がそれぞれ一つずつあり、米軍機は用があらうが無かろうが毎木曜日に必ず出ていることは知っていました。その施設が拡充、強化されるのですか？　許せませんね

この飛行場は元々は席田《むしろだ》飛行場と呼ばれていて、私が旧制の修猷館中学1年生、昭和18年の工場夏休みの1ヶ月間、「勤労動員」で飛行場建設のため莚田の美田へ土を投入させられました。今の博多区役所辺りにあった旧博多駅の電停から毎日工事現場まで往復を歩きましたね。

その工事中に雷雨があり、私たちほぼ全員は地

べたへ伏せたたのに、一人の中学生が——確か香椎中学生だっか？　雷を怖がってスコップを肩にもって走り、落雷に遭って死亡したことがありました。その後の工場動員でも含め何人もが旋盤などで大怪我をしましたが、彼らは戦後どうなったか？——恐らく何ら補償もされていないし、記録もないでしょうね。

◎沖縄の安仁屋眞昭会員が、赤旗に大きく登場

（同2019・06・23）

今朝、自宅で赤旗をめくると、沖縄の安仁屋真昭先生が、第3面の主要部分を使って紹介されていました。

カラーの写真をぜひ紹介したくて、写真版でお届けします（掲載省略）。記事が大きすぎますので、上下を2つに切って、添付しています。

先日の6・2の九大ジェット機墜落51周年、辺野古が問いかけるものでも、沖縄から駆け付け、リレートークのトップを切って、ご報告いただきました。

その報告レジメにほぼ沿った内容の記事です。安仁屋先生は「王府おもろ」の継承者であるとともに、ジェット機が落ちた時は理学部の助手で、その後九州芸工大で教鞭をとられていました。

現在、沖縄で大活躍中で、17年度の沖縄県文化功労者表彰も受けられています。

第四節

沖縄・辺野古行　写真レポート

（メールじょうほう・２０１９・１０・０１～１８）

写真レポート①

先週（２０１９年10月）24日から４日間、沖縄の辺野古の支援連帯行動に参加してきました。

今年の６月２日、九大への米軍ファントム墜落41周年の集会に取り組んだ、九大６・２の会の仲間で誘い合って実施したもので、70代と80代の「昔の学生・男女」９名の参加でした。

６・２の集会では現地からのレポートで講演いただいた、文学部66年入学の浦島悦子さん（フリーライター）が、迎えていただきました。

月並みな言葉ですが、沖縄の青い海のすばらしさに感動しました。これを無造作に壊している、辺野古の埋め立て工事とそれを強行している安倍政権に改めて怒りを覚えました。

サンゴの遺骸で形成された沖縄ならではの微細な砂浜も、手で触り、味わってきました。記念に名護湾から湯飲み茶わん一杯程度、まだ形の残る破片とともに持ち帰り、研究所で展示しています。

そういうわけで、私が撮影したカラー写真で、みなさまのパソコンの容量が様々と思われますの

1

2

で、数回に分けて、5~6枚ずつ、その一端だけ紹介させていただきます。
◎一枚目は飛行機から見えた、サンゴ礁の海です。
◎二枚目は、沖縄県庁の本館
◎三枚目は、沖縄料理の店の前に飾られていたシーサーです。右側の口を開いたオスのほうです。ちなみにセットで左に置くのが、口を閉じたメスです。私もこれとよく似た小型なものを愛蔵していますが、女房が「怖い」と言い張るので、タンスの引き出しの中に眠っています。
◎四、五枚目は那覇の国際通りから入った牧志公設市場(当時は、建て替えのための仮設店舗)の店。地の魚が一杯で、釜山のチャガルチ市場と雰囲気が少し似ていました。二階には食堂があってゴーヤチャンプルなど魚、豚・ヤギ料理を楽しみました。
◎六枚目は、那覇空港が起点のモノレール・「ゆいレール」の県庁前駅、来月から浦添市まで延伸とのこと。沖縄の交通渋滞の解消への期待が高い。

5

3

6

4

写真レポート②

◎前回のオスのシーサーの評判が良かったので、今回は左側のメスのシーサー（1枚目）と、2枚目にヒサシの上にシーサーを飾った、沖縄料理店の店構えを紹介します。沖縄らしさが良く出ている風景です。
◎3枚目が前回紹介した牧志市場の追加で、大きな見事なイセエビや貝の専門店です。
◎4枚目が、辺野古漁港に接した埋め立て反対運動の、「浜のテント」前の干潮時の様子。
◎5枚目が「浜のテント」風景、テントのなかにもたくさんのポスター、寄せ書き、資料の掲示がありました。
◎6枚目が、テントの前で現地の浦島悦子さんから、説明を聞く我がメンバー。
◎7枚目が、テントのある海岸に続く熱帯性の植物、見事でした。名前を教えてもらえばよかったのにと反省。

1

2

3

（後日、浦島さんより「モンパノキです。海岸によく生えています。幹が柔らかいので、昔はこれでミーカガン（水中メガネ）の枠を作ったそうです。」と教えていただいた）

4

5

6

アップすれば

7

写真レポート③

◎1枚目は、辺野古集落の入り口に建てられた「WELLCOME 辺野古社交街」の巨大看板。ベトナム戦争のころに繁盛した歓楽街。手前の電信柱には『憲法9条改悪反対　消費税10%中止』の小看板、右奥のストアは昔のいわゆるパパママストア、いまは夜だけの飲食店のようであった。

◎2枚目、さらに先には古ぼけた、字も読めなくなった「社交業」を中心にした案内看板も建てられていた。

◎3枚目、その左奥の写真中央が、私たちがお世話になった「沖縄平和サポート・クッション」が入っている建物で、クッションの世話人の稲葉さんが、男性一人で、地元の食材を生かした美味しい手料理などの食事の世話なども含めて、切り盛りされていた。

◎4枚目、稲葉さんに、状況を報告いただいた。

◎5枚目、「クッション」から200メートルほど海岸よりの、男性陣が分宿した「海の見える家」の看板、一軒家でしたが、空き家の有効利用のようであった。

1

2

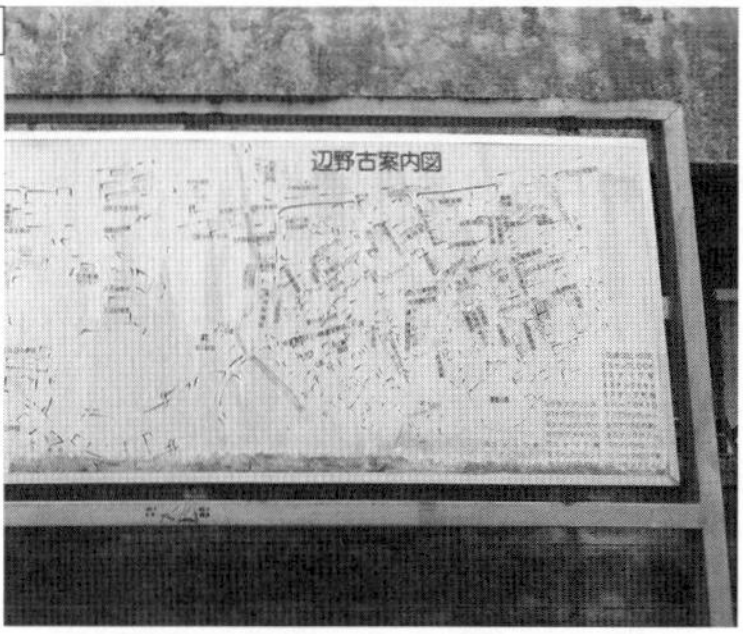

3

4

5

6

気楽に泊ることができ、食事は「クッション」まで通った。

◎6枚目、「クッション」から「海の見える家」に行く途中の古びた家、こういう家屋は少なく、台風災害がひどいためか、コンクリート造りがほとんどでした。

大学に入学した年、66年9月の、まだ「復帰」前だが「宮古島台風救援」の取り組みを、私が提起して九大の教養部自治会で取り組んだことを思い出す。当時の1学年上の自治会委員長は、「そういうことは国の仕事だ」と当初反対した。

沖縄全体の街並みは、緑の丘陵地のコンクリート造りの民家が多いためか、地中海風の景色でもありました。

次回には、辺野古の埋め立て現場を海上から観ます。

写真レポート④

また台風が来ていますが、皆様お気を付けください。

大災害の続発という「自然の復讐」のなか、来年の東京オリンピックは、どうなるでしょうか。

今週は月曜日から連日、研究所役員会や研究会などが夜遅くまで続き、大変でした。今夜は、出身高校の福岡近辺在住者のクラス会で、連れ合いをなくした友の激励会でもあります。

それでは本題です。

◎1枚目は、辺野古基地前のテント村に掲示されていた看板。

無謀な計画と、埋め立てによる基地建設が不可能といわれている軟弱地盤の様子が分かります。

◎2枚目は、私たちを乗せてくれた抗議船から、大浦湾の比較的沖合から見た工事現場です。

澄んだ海面の下に見えるのは、サンゴ礁です。この辺りは、水深も非常に浅い。まるで背が立つようでした。これが広範に広がっていました。

◎3枚目と4枚目は、埋め立て現場の近くから見た写真、キャンプ・シュワブが奥にあります。海上保安庁の船や雇われた警戒船が待機、あるいは周りを走り回ります。

◎5枚目は、抗議船に乗った私たち参加者。全員ライフジャケットを着て、船頭さんの説明を聞いて、現場を凝視する。

◎6枚目はサンゴ礁で形成されたものか、沖合から辺野古漁港の防波堤そばまで、奇岩が目立ちましたが、辺野古漁港の防波堤とつながった島には、漁民の安全を祈願するのか、守護神の神社がたてられていた。

＊注　その後、浦島悦子さんより以下の御教示をいただきましたので、紹介します。

「辺野古漁港の先にある鳥居、あそこは、漁港ができる前は離れ小島で「トングヮ」（殿小？飛子？　由来は不明）と呼ばれ、潮が引いたときだけ歩いて渡れたそうです。奄美も含む琉球諸島では地先の小島は聖地とされ、水平線の彼方から来る神々が、人の住む集落を訪れる前に休憩する場所とされています。

辺野古では古来、トングヮは村の魔除けとも言われ、旅に出る際の安全祈願をすることもあったそうです。１９６０年代、それまで内陸部にあった竜宮神の祠がトングヮに移設され（下の水辺に近い場所）、復帰後、漁港ができた時、現在の場所に移された（その際に鳥居も作られたと思われますが、まだ確かめていません）そうです。現在地に移る前の祠の痕跡は今も残っていて、確認することができます。（11月29日）」

1

2

3

4

5

6

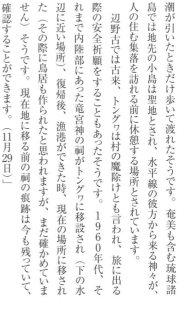

写真レポート⑤

今回は、とうとうキャンプ・シュワブのゲート前行動です。

◎1枚目は、「基地には入れないぞ」と、ゲート前にずらりと並ぶ警備員の列。

その前面に折りたたみ椅子を並べて座り、「埋め立て・基地建設のためのミキサー車やダンプカーが基地に運び込むのは許さないぞ」と、地元メンバーと私たち連帯・支援行動者。

道路側には若手の地元沖縄県警の機動隊が立ちはだかり私たちを挟み撃ち。なかなかの好青年が多いとの印象を受けた。

奥には、入構できない大型トラック、ミキサー車が見えます。

◎2枚目は、ゲート前に座り込んだ私たち。

この中には顔が、くっきりとアップされた写真が出ても、平気な人ばかりと思われますので、安心して紹介させていただきます。いちいち紹介しませんが、皆さん自信に満ちた表情です。

◎3枚目、4枚目はゴボウ抜きが始まり、運ばれるところです。

この辺りの事情については、今回の旅行の肝いりの川本さんの手になるメモを、以下紹介させていただきます。よく表現されています。

「ゲート前行動は、折り畳み椅子でゲート前に座り込む、機動隊長が警告する、こちらはマイクで『不法工事はやめろ』『辺野古の海を汚すな』『防衛局は沖縄から出て行け』等のシュプレヒコールで応酬、機動隊は何度かの警告の後実力行使に入る。三人一組でやった来て『自分で退きますか?』『私はここに居たい』両腕と両足を持って引き抜かれ連れ出される。

『おろしますよ』『年寄りだから大事に扱え』『大丈夫ですか?たてますか?』」

今はこんな具合、以前大阪や福岡から派遣された機動隊が引き抜く際に乱暴にして怪我人が出・・・があり、今は沖縄県警のみがやって来てソフトな対応になっているとの事。

道路に大型車を待機させるには、台数の限度があるので、一日三回、一回を数度に分けて入れており、一段落すると座り込み現場でぐるぐる回り歩きをしながら、シュプレヒコールをする。間、間に女性リーダーが機動隊に向かって語りかけたり、辺野古埋め立ての不当性や不法性を訴え、県民投票や知事選の民意を無視する安倍を糾弾する。

何度かの警告があって、デモは中断、大型車が

1

2

3

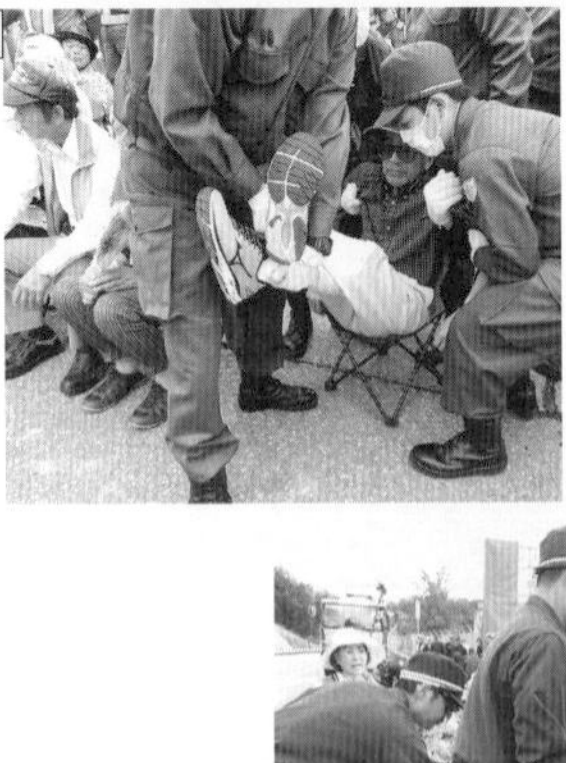

4

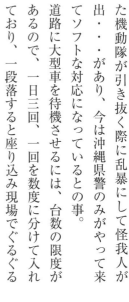

入る、すぐデモを復活させる、が繰り返される。機動隊には専門の撮影者がいて、隙があれば、一寸でも難癖をつける材料があれば捕まえようと狙っている。」

若い機動隊員も、警備員も、ミキサー車やダンプの運転手も、沖縄戦の犠牲者・関係者の子孫がほとんどと思われますが、心の中では理解している人たちも多いのではと感じた次第。

そういうことが分かったうえでの、辺野古の粘り強いたたかいが、行われています。

◎5枚目は、ゲートに入れずに、並んで入構が可能になるのを待つミキサー車の列。

5

◎6枚目は、排除された後も、デモ行進で、すかさずアピールする。これを毎日3回繰り返し、埋め立てNo！の声を、響かせています。（本書の表紙写真にも活用）

6

写真レポート⑥

名護市は、太平洋・大浦湾に面した辺野古だけではなく、東シナ海・名護湾にも面していて、広さでは沖縄一の自治体であることを、今回知りました。ちなみに沖縄県の面積は47都道府県中、43番目で東京都より大きく佐賀県より小さい。

◎1枚目は、名護湾に面した名護市安和（あわ）、琉球セメントの積出港付近の、見事に美しい名護湾の写真。

辺野古新基地建設に向け、この琉球セメントの桟橋から土砂を積み込んでいて、ここでも入り口と出口で連日の抗議行動が行われています。田川の香春岳までとはいきませんが削られたセメント山が見えました。石材も出しているのではと思いました。ここから陸路、辺野古へ輸送されている。

川本さんが、ゲート前で荒木栄の三池争議で歌われた三池炭鉱労働者の歌を熱唱。氏は1955年九大入学組で、三池争議の支援に駆け付けた経験もある。

私はその時、大牟田での小学6年から中学1年。小6の時作った句が『新ポスター　ロックアウトの宣伝か』。

1

2

3

荒木栄は「沖縄を返せ」でも有名。今は「沖縄に返せ」と歌う人も多い。

ここで残念ながら、私のカメラが電池不足になり、写真が撮れなくなる。

ここ安和港で、サンゴ礁の残骸からできた浜辺の微細な沖縄独特の砂を採取、透明なボックスに入れて、福岡自治体研の事務所で展示中。

◎2枚目が、抗議の行動を一休みしての、ゲート前の木陰で交流会、挨拶するのは、大宜味村（おおぎみそん）の前村長・島袋義久さん（82歳）。スマフォでも撮影できることを思い出して、撮影再開。

◎3枚目が、さらに北上した岬の突端で、沖合で大型の土砂運搬船から陸揚げのために小分けする作業を、地元の女性から説明を受け、遠望する参加者。北九州や瀬戸内からも埋め立て用の石材、土砂も搬入の予定。

◎4、5、6枚目が、本部町（もとぶちょう）の塩川港。ここでも埋め立て土砂の辺野古への搬出が行われている。6枚目の遠景には削られた山肌が映っている。

本部町は、かつて沖縄海洋博が開かれた町。

4

5

6

写真レポート⑦

いよいよ最終回です。

辺野古・大浦湾の美しさを、最後に改めてお伝えしたいと思います。

◎1・2枚目は、「世界最大級の青サンゴを見に行こう！」と呼びかけた、大浦湾グラスボートを紹介するリーフレットのウラとオモテです。このリーフレットを見るだけでも、辺野古の海・大浦湾の素晴らしがわかります。

辺野古・大浦湾の自然を多くの人に知らせようと、ヘリ基地反対協議会がグラスボートを導入しました。広がるサンゴ群落を観賞できます。このグラスボート「ゆがふ世」は、沖縄をはじめ全国から寄せられた、辺野古基金で購入したものです。当研究所からも総会で集めたカンパを送金しています。皆さんも、ぜひご利用ください。「大浦湾グラスボート」で検索すれば、すぐ出てきますので申し込めます。1と2のリーフレットも見れます。

1

2

3

◎3枚目の写真は、このグラスボートの船頭さんです。ボートはヘリ基地反対協議会の所有で、専任の青年・船頭さんが大活躍中でした。なかなかの好青年でした。
船頭さんのお母さんが浦島さんとは大の仲良しで、第二のお母さんとでもいう人が浦島さんだそうで、ボートの名前「ゆがふ世」も、浦島さんの命名だそうです。
◎4枚目が、「ゆがふ世」です。水面近くに少し錆びたところが見えるのが、気になります。内部の様子は、リーフレットの2枚目、右上をご覧ください。
「ゆがふ（世果報）とは沖縄の古い言葉で、世界の幸せや素晴らしいことという意味で、豊年とか五穀豊穣とかの願いが込められた言葉です。NHKの連続ドラマ『ちゅらさん』の居酒屋の名前にも使われています」という解説が、岐阜県の貸別荘「ゆがふ」の、ホームページにありました。
◎5・6枚目がグラスボートの底に見えたサンゴの群落。安カメラでの素人写真ですので、先のリーフレットにはかないません。
◎7枚目が、グラスボートから撮った上空写真、若いカップルが水上スキーならぬ水上バルーンを楽しんでいました。若いということは、羨ましい。

4

5

6
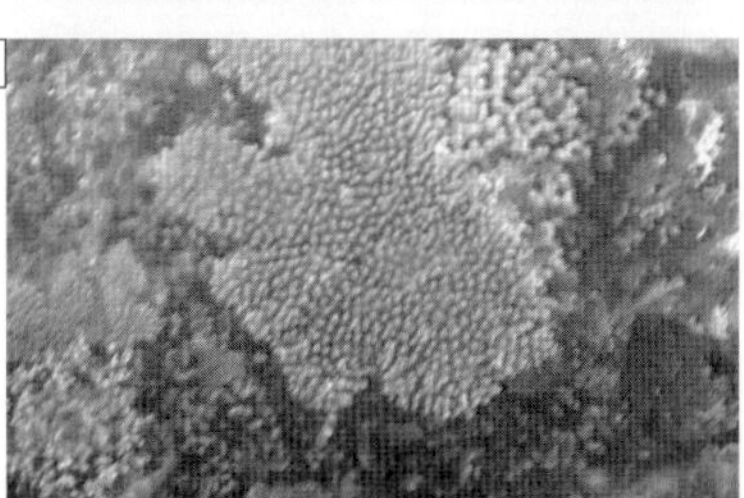

船で引いてもらって、凧揚げの要領であっという間に、飛び立ちました。

◎8枚目が、辺野古の浜のテント村を襲ったスコールの後、虹がテント村を包みました。私たちを歓迎するかのように、大空に広がっていきました。手前が辺野古漁港。今回は無理して、8枚も添付しましたが、パソコンの容量の小さい方にも届いたか心配ですが、これでおしまいです。百聞は一見に如かず、です。ぜひ辺野古を訪れてください。愛読ありがとうございました。

7

8

第四章

研究所の「総合力」の勝利、賜物

――所報「福岡の暮らしと自治」500号によせて――

＊本稿は（２０１９年）９月３日に研究所で開催された、「福岡の暮らしと自治」５００号を祝い・語る会での、事務局としての体験的報告を補強したものです。

●**設立・１９７７年12月３日、**全国の地域研究所では11番目の設立、現在では38の地域研究所がある。

●**創刊号・１９７８年１月号。**当初は「福岡県自治体問題研究所 所報」の題字・名称で出発、80年４月号より現行の「福岡の暮らしと自治」（鮫島国三・久留米大学名誉教授（故人）の揮毫）に変更。先月19年８月号で、41年と８ヶ月をかけ５００号の定日発行（発送）を達成した。

８月号に17名の寄稿による５００号のお祝い特集。巻頭は大牟田市の市庁舎保存をめぐる市民運動についての、藤本雄二レポートで飾っていただいた。

岡田知弘・全国研理事長の「所報の充実度は抜きんでており・・他の追随を許さない」や、石川捷治・当研究所代表理事・・「生きた『福岡県百科事典』・・５００号」などのお祝いの言葉が掲載された。石村善治・前代表理事は、福岡の歴史を調べようとしたら、一例をあげれば博多湾埋め立て問題など、「福岡の暮らしと自治」が基礎資料の一つになる、とよく言われてきた。現実の行政、地域社会、住民運動などにも少なくない影響を与えてきた。

結論から先に言えば、５００号の定期発行の達成を可能としたのは、研究所内外の広範な寄稿者を始めとする、全国の心ある方々と会員、

創刊号から 500 号までの合本

地域に支えられた福岡研究所の「総合力」の勝利、賜物である。

◎本当は一回だけ「遅れた」ことがある、それは創刊号。当初毎月10日を発行日に予定していたが、テープ起こし原稿の根本的書き直しの必要性から、結果的には15日の発行となり、全国研（自治体問題研究所全国ネット）から「住民と自治」誌が届く13～15日と、ちょうど重なった。今読んでも格調高い創刊号で、斎藤文男・九大教授（当時・憲法）の「住民主権の今日的意義について」（設立総会記念講演）が巻頭を飾った。そういう事情で以後15日が、ずっと定日発行日となる。B5判6ページで出発。その後毎号12ページ程度を基本にしたが、フォーラム特集などで40ページ近くになったこともある。

◎当時中曽根臨調下で、県や市の公報や広報誌まで、有料部数が少ない、あるいは不定期発行などの理由で、第3種郵便物認可が取り消されるなか、安定した定期発行が認められて、創刊3年後の1981（昭和56）年2月には、第3種郵便物認可を受けた。全国の地域研では初の快挙であった。現在では、所報関連以外を同封できないことや、有料部数の比率の証明など、第3種郵便物の規制の厳しさを回避するために、2012年2月の410号からやむなく「住民と自治」誌の付録の形式に変更。13年3月の423号より現在の後納扱いの「ゆうメール」に変更し、より有利で便利な方式を採用している。

公益法人（社団法人）としての80年6月の設立許可も、同様な快挙であった。これは行政や大企業の外郭団体ではなく、会

創刊号からの合本を前に報告する筆者

員の会費による自主的な地方自治の研究・啓発機関としては、当時の自治省の担当者の言明によれば、１８９６年（明治29年）の民法施行で公益法人の規定ができて以来、全国初の事例で、『元祖ＮＰＯ』と報じられたこともあった。しかも設立を許可したのは、有名な亀井光知事であった。事務局担当理事の近藤昭三先生（当時九大法学部教授・行政法、故人）に電話していただいたうえで、県庁の担当部局（法制係と地方課）を宮下が訪問、何度も相談に通っての結果であった。

ちなみに設立以来、役員はすべて無報酬で、交通費も支給せずに、手弁当での運営であった。所報の原稿料も薄謝を払ったことが皆無ではないが、無料が原則で維持されてきた。

◎出発に当たって…私のそれまでの体験と、研究所での事務局活動

＊学生運動の経験

九大文学部の社会学（鈴木広教授、故人）と法学部の行政学（今里滋教授、現・同志社大学）との、学部を超えた九大史上初の特別合同授業「地方自治総論」（93年度前期）で、私が最後のまとめの授業を担当したが、その際の鈴木教授の学生への講師紹介のなかでの「研究所は九大の良心派が創ったもの」と述べられた。鈴木教授は日本都市社会学会の創始者で、御自身も当研究所の設立呼びかけ人・理事の一人でもあった。

＊大阪研の鶴田博巳・前理事長（関西大学名誉教授）の「福岡研の所報にはよく九大関係者が書かれていますね、大阪研の所報では、大阪大学教授など出てきません」との感想をいただいたこともある。ただし大阪研の初代理事長は、有名な公衆衛生学者の庄司光・大阪大学名誉教授（故人）であった。ちなみに庄司先生は大阪研理事長時代に「Ｂ４の二つ折りで良いから、福岡研を見習って所報の定期発行を」と、当時の西堀喜久夫事務局長(後の九国大教授)を、叱咤激励しておられた。

＊1966年の九大入学直後、サンフランシスコ条約が発効し沖縄・小笠原が切り離されたことに抗議する4・28統一行動に参加、自分で資料を作ってクラス討議を組織。「沖縄では英語で話されているのか」の質問が出て絶句した経験。沖縄出身の学生はパスポートを持たされ「入国」していたし、本土から沖縄へも、もちろんパスポートが必要であった。6月から教養部自治会執行委員、秋から執行委員長、翌年県警本部相手に60年安保以来のたたかいと報じられた九大祭仮装行列規制撤回闘争、米原子力空母エンタープライズの佐世保入港（全学連中央の現地闘争本部事務局長）、米軍戦闘機ファントムの九大構内墜落・板付基地撤去運動、九大学友会中央執行委員長、九大4者共闘会議副議長、大学立法反対闘争、大学民主化・学園暴力一掃・封鎖解除の闘い、といった70年安保を前後した激動の時代をすごした。

＊オモテと裏方、大衆運動と組織活動（研究所であれば会員拡大など）の総合関連を理解。

＊この時代の活動については、私家版の小冊子「米軍機墜落と米軍板付基地撤去運動」（2018・6、翌・19・6に補遺版）や本書第三章を参照。

＊その中でレーニン「何をなすべきか」、「何から始めるべきか」などに学ぶ、機関紙活動の意義（**機関紙活動を軸にした研究所活動**）、自然発生性と意識性の問題、大衆運動・組織活動の原則、理論活動の意義をつかむ。

＊「地域に根差して活動したい」と大学卒業前に中央での活動を断り、福岡民報（週刊）編集部へ。必要に迫られての文章を書き、使える写真の撮影技術も身に着ける、県内各地を回ったので地域事情と活動家を知る、福岡民報を100号単位で合本にした経験。連載した「ふくおかの郷土玩具」（境忠二郎著、現在では当該テーマでの基本文献の一つ）を、福岡民報社刊として著者の自費出版に協力、その後全国的に著名になった在野の古代史家・

奥野正男さん（筑紫古代文化研究会）の「ふくおかの埋蔵文化財」の長期連載などの思い出もある。

＊そのころ民間有志による「福岡自治体研究会」のメンバーとして活動。当時、中堅・若手の研究者であった三上禮次（九州芸術工科大学教授・故人）・蔦川正義（現・佐賀大学名誉教授）・新谷肇一（現・有明高専名誉教授）先生などが中心となって、政令市になった前後の福岡市政や県政の研究、西鉄路面電車廃止問題などを取り上げ、調査研究、成果を出版した。

＊1974年12月の兵庫県・八鹿高校での部落解放同盟による同校・教師集団への未曽有の集団暴行事件をきっかけに、九大工学部自治会室での自治会役員への赤ヘル集団によるリンチ事件など、学園での暴力支配が続く中で、学生・青年運動の親身な援助へ取り組む。

当時の学友会委員長が現在の名和田茂生弁護士で、諫干・有明訴訟の担い手の堀良一弁護士も、九大の学生青年組織の中心幹部であった。現在、その頃の学生が名誉教授になりはじめた。

◎発行で心掛けたこと

＊1977年6月より、福岡県自治体問題研究所設立準備委員会（事務局責任者は原田松美・福岡

1978年1月15日　創刊号
福岡県自治体問題研究所　所報
創刊号　1978・1・15
住民主権の今日的意義について
九大教授　斎藤文男

創刊号の一面トップを飾った斎藤論文

「福岡自治体研究会」の資料

市従連組合長で、設立当初の事務局長）の事務局専従へ、同年12月に当時の県婦人会館大ホールで設立総会。

当研究所は、60年代後半からの革新自治体ブームのなかで、①自治体労働者の地方自治研究活動への意欲の高まり、②先の自治体研究会などの研究者や、③区画整理・水問題・公（鉱）害被害者などの市民運動が合流する形で発足。特に設立による研究者の協力の広がりは画期的であった。その結果、発足時に福岡研独自の会員に、「住民と自治」誌の読者も加えれば800名を超えていた。

＊所報の創刊に当たり、岩波などの講座物や全集物の付録の「月報」をイメージ。小さくても研究団体の機関誌たるべく、決めつけや〝アジビラ〟的なものにはせずに、「10年たって読んでも意味のあるもの」にと努力。そのためには3か月先分くらいまでは、トップの原稿を内定しておくよう努力した。

＊研究所の機関紙（誌）、県民自身による県民のための啓発・研究機関の機関誌として、単純ではあるが、以下の**「編集上の二つの柱」**を設定、心がけてきた。

①研究所の活動を伝える…このためには当然、日常活動の継続が必要。

三上先生の言葉・「個人にとっても組織にとっても、役立つ研究会をどれだけ持っているかが、肝心」。研究会の創設、継続的な活動、維持に力を入れた。当日の議論をふまえて、次回のテーマと日時をきちんと決めていくことが、継続するためには特に重要。

②会員の活躍を伝える（研究所と直接の関係はなくとも）

＊創刊時に、①毎月の定期発行（これこそ自体が組織を作る、会員を結ぶ機関紙の存在意味、研究発表も含めて研究所活動の軸）、②100号単位での合本作成、の二つを〝密かに〟決意。したが

って創刊号から毎号100部を保存していた（改めて印刷・製本すれば、膨大な費用がかかる）。
＊事務局としては、**基本的にすべての研究所の会合（研究所事務所に限らず、県内各地で開催されていた会員の会合）に参加する。**それ以外にも居住地（小中のＰＴＡ会長4年ほか）や研究所所在地での地域活動、現在もビル管理組合理事長、30年前から任期2年で、現在が4度目の任期中。都心部にしては珍しい自治のあるビル、マンションとなっている。協力団体・民主団体・個人との協力・共同に注力。ただし研究団体としての自主性、主体性を堅持し、政治的な引き回しを受けないよう努力。これは団体の役員、事務局メンバーの極めて重要な独自の責任。
＊会員をはじめ各界とのたゆまぬ討論、交流。
＊事務局としてものを観る視点・アンテナ能力の向上、上記の普段の討論と交流に加えて、機関紙を含む諸新聞に目を通す。小学生高学年の頃から新聞を毎日読まないと、時代に取り残された気分になっていた。30代のころ地域の青年労働者を相手に、その日の朝刊を材料に、新聞の読み方を講演したこともある。
＊研究所は、私にとっての大学院、自己実現の場でもあった。
＊7～8年毎に始めた「福岡・みやしたメールじょうほう」のねらい… 当時必要性を痛感した、全国研と各地域研事務局のレベル向上に、お金をかけずに有効にお役に立てればとの思いから始めた。かつて地域研代表として13年間、全国研理事を務めた人間としての願いを込めたもの。今では地元、福岡の関係者にも多数配信している。
＊「前衛」概念の実感的考察、困難を引き受けることの重要性とともに、「世間知らず」ではなく、国民のレベルの高さに敬意を表すること、自発性の尊重が重要。最近の野党共闘の進化・発展、「リスペクト」ともつながる問題。「発展途上人」と

の自己規定の必要性。
＊一人専従事務局体制では、日常の実務のほかに大きな行事を抱えていても、それと無関係に所報を継続して発行するためには、組織的な力に加えて、特に事務局の計画性、健康と精神力が重要。
　福岡の水飢きんの後のライン川水利用体系視察団の派遣などの際には20日間も留守にしたこともあったが、定期発行は維持できた。私は長男で、私を愛し慈しみ信用して、学生時代からの私の活動を心配しながらも応援してくれた両親の老後の世話には、特に力を入れたが、その両親が亡くなっても、自分が交通事故ではねられても、あるいは風邪を引いたから休みますということもなかった。だが、もちろんというべきか当然ながらというべきか、自転車操業でもあった。
＊〝収集癖〟も有益。設立前の準備会の時期からの会計書類・総会・役員会・催しの記録、事務局ノート等を42年間分、現物で保存している。所報の関連では、内田一郎先生（初代理事長、九大工学部教授・土木工学、故人）の「私と読書」１００回連載分、近藤昭三先生の中曽根内閣時の「地方自治法と裁判抜き代行案」などの、思い出の手書き原稿も大切に保存。
＊家族の支えがあった。妻と二人の子どもの「協力」、義母は基山から福岡までしょっちゅう出てきて育児と家事を支えてくれた。だからこそかもしれないが、子どもはその割には親を当てにしない主体性のある人間に、しっかりと育った。
　妻は教員として働き、家計を支えてくれた。毎日多忙で仕事のことで頭がいっぱいなため、当時現金支給の給料を金融機関に預ける時間的余裕もない、そこで結婚以来、給料袋ごと私に渡さざるを得なくなった。私が今いくら貰っているか、あるいは給料が今度いつ出るかなど、一回も聞かれたことがない。
＊将来の研究所の財政状況への危惧から、「２～

3年給料が出なくても対応できるように」との思いから、わが家の貯金は研究所設立とともに始めた。

「県庁職員に準ずる」との「給与規定」は一応あったが、研究所の能力に応じて現実的に対応せざるをえなかった。40代前半まで月10万円、途中から梅津順蔵理事（故人）の提案で研究費として1万円いただいた。本当は20万円くらいの支給は可能であったが、博多駅前の一等地のマンションにある事務所（1981年6月取得、4LDK、売買価格1，400万、その他仲介料・登記費用あり）取得のローン（福銀から500万、共済組合からの借用・50万×2人）の支払いに加えて、いただいた寄付以外にも多額の費用を賄うための方策として設けた「預かり金制度」、これは「3年間返さないで、その後請求があれば無利息で2週間後に返す、さらに3年ごとに自動更新」の仕組みで運用したものだが、この「返済基金」の備蓄が必要であり、この間、給与増は実現できなかった。

しかし郵便局の定額貯金でも、10年後には元利合計で2倍になる高金利のこの時代に、福銀には10年、共済には12年で完済。途中、当時の内田理事長ほか数人から預り金を自発的に寄付に切り替えていただいた。10年後に50万円が二人、さらにその後20万円一人の預り金を、実際に返済している。残りのすべての預り金を寄付に移行する運動を、30年後におこない、やり遂げた。御礼に、当時福岡市美術館の主催で開催されていた「石村コレクション・仙厓展」

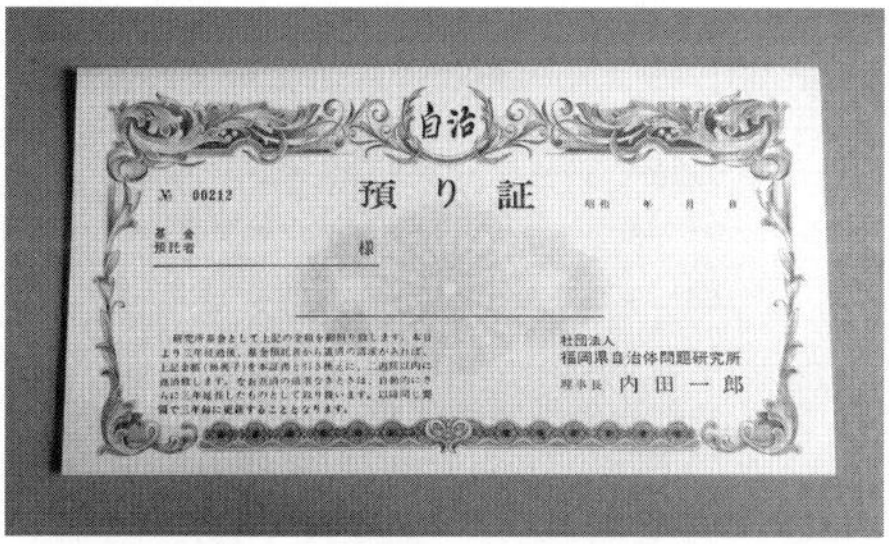

こんな「預り証」を発行した

（石村善治・前代表理事の長兄、石村萬盛堂・2代目社長の石村善右氏からの寄贈品）の、抹茶と和菓子の接待付の招待券を配布した。このおかげでどんなに少なくみても15万円以上は最低必要な、家賃の支払いが現在不要になっていることは画期的。

研究・啓発目的の公益法人のため固定資産税・都市計画税の非課税措置も、当初から交渉によって実現させている。貧乏団体の研究所の今後にとっては、長年の〝痩せ我慢〟が実っていることになる。

私の現役世代時代にはいただいていた、若干の夏冬の一時金も、実は会費収入からいただいたことは一度もない。すべて書籍をせっせと普及して、その益金を事業収入として一般会計に繰り入れ、その範囲内で支給してきた。かつての電電公社時代の高価であった留守番電話や、ゼロックス等もこれで購入。

ちなみに、Y会員の関西出張での体験談も面白い（内容は口頭で説明）。それから当時10名近くいた、全国の地域研の現役世代の一人専従事務局は、福岡研以外は30年ほど前までに早く全滅。大阪（3名）・京都・神奈川・東海研は複数体制であったが、これらでも早くから年金生活者が事務局に就任。

＊また不動産を所有しているのは、福岡研のみ。先にふれたように社団法人化も福岡研が初だったが、実は法人化の直接の動機は、不動産の個人名義での登記を避けるためであった。最近の公益法人改革で、一般社団法人の上に置かれた二階建ての公益社団法人化を実現したのも福岡研だけ。30年後すべて寄付に切り替えていただいた預り金用の返済基金の残額と、篤志家の多額の寄付による、研究所基盤強化基金を持つのも福岡研のみ。しかし現実は会員の減少にともない、日常的な運営は金欠病状態というのが実情。

◎所報掲載論文の書籍化の例も多い、臨時増刊号も適宜発行して活用。現実の政治・行政への影響

類似モーテル・ラブホテル問題、大濠公園浄化問題、志免町給水訴訟、市町村合併問題、最近では福岡市のロープウェイ問題・大牟田市の市庁舎保存問題で現実の行政に大きな影響を与えるなど、所報の発行自体が大きな成果をあげてきた。特に憲法問題の臨時増刊号・『憲法を守り活かす力はどこに』は、「本が売れない時代に冒険だ」との危惧も出ていたが、当初印刷の3，000部が売り切れ、3，000部をさらに増刷した。こうした所報の積み重ねが、単行本など90点を超える出版物の発行につながっている。

◎自治体研・全国ネットへ与えた影響

普通は全国研経由で、所報など相互交換する仕組みだが、これだと早くてもひと月遅れで届くため設立以来、経費がかさむのを承知で地域研へ直接15年ほどは郵送した。毎月同時期に届くということを示したかったが、現在は経費軽減のため現物は全国研経由に変更し、発行日前にＰＤＦ版の所報をメールで各地域研に届けて、内容とともに定期発行の機関紙活動の意義を、全国に実践的に伝えている。

◎全国に誇るべき、特筆すべきは発送ボランティアの存在、「住民と自治」誌が届く日に所報の納品を合わせ、最近ではその日に動員なしで、自発的に集まった10名ほどの参加者で即日発送してきた。当初は現職会員が多かったこともあり事務局が昼から作業して夕方から若干のボランティア、翌日に請求書入れなどを事務局が仕上げて車又は台車で郵便局へ持参。リタイア組が増えた現在では、事務局が朝から事前準備作業をして、昼から集合。送付部数も減少してはいるが一気に作業して終了、郵便局が夕方、集荷に来所。

＊当初は謄写版の宛名カードで封筒に宛名を印刷、手書きの請求書。25年ほど前から当時県庁

の現職であった橋本聚会員が、発送作業も含むMS-DOSによる会員管理ソフトを無料で作成、現在はWindowsにバージョンアップしていただいている。

◎あまり知られていないが、設立以来の役員・会員の方が多いのが、福岡研の特徴。自分の一生の仕事と考えている役員・会員が多い。私はこれを**「人間による人間のための組織」**だからと称している。初代理事長の内田一郎先生、二代目の石村善治先生、この5月から新代表理事になられた石川先生を中心に、チームワークの良さが、わが福岡研究所の優れた特長

研究所で開催した500号を祝い・語る会であいさつする石川捷治・代表理事、右は石村善治・前代表理事、左は印刷所の高田一夫社長

◎印刷所の変遷ほか…研究所のなかの会員の協同・連帯だけでなく、よくある〝発注者と業者〟ではない、印刷所関係者との共通の目標を持った「仲間・同志」としての、共感・協同・連帯を大切にしてきた。請求も安くしてもらい、様々な便宜も図っていただいてきた。

①当初は永島印刷（写植印刷）、値上げを切り出されて②経費が安いプリント英版社（庄嶋、タイプ印刷、途中でパソコンに）に変更、庄嶋さんの死去で③庄嶋さん時代の安い契約を条件に永島印刷（パソコン）に戻す、現在は永島印刷の後継会社である④ピンズファクトリー（高田一夫社長）

の御世話になっている。

◎当初は私が原稿を集め、雑文を書き、平野一会員（県本庁勤務の時代）に渡し、割付と校正作業を担当いただいたが、当時の平野さんお手製の割り付け用紙が残る。

現在はパソコンの時代となり、大きく様変わり。宮下が編集し、大まかな割り付け構想にもとづき、パソコン・メールで構想、原稿、写真など材料を印刷所に送り、印刷所の「デザイナー」が一手に作業。校正のやり取りも、初校を除いてメールでの作業。昔のタイプ・写植・活字時代のタイピスト・植字工の時代とは大きな変化。

◎課題…会員、特に若手・後継者の獲得、
1000号発行めざして

＊会員・「住民と自治」誌読者数の変遷、他の研究所より目減りが少ないと「自慢」してきたが、最近の落ち込みは急激である。致命的な弱点になりかねない。集団の力に依拠しての対応が課題。

（初出、「福岡の暮らしと自治」、２０１９年10月、第５０２号）

第五章

地域での取り組みから

第一節

福岡市民の見識示したロープウェイ問題

①全国ネットワークへの、「福岡の暮らしと自治」18年10月号送付にあたっての添え状

（２０１８・１０・１１）

おつかれさまです。15日の発行日には少し早いのですが、先ほど印刷が始まりましたので、校了のＰＤＦ版をお届けします。

トップは、11月18日投票の福岡市長選挙で、現職に一泡吹かせたいと考えているロープウェイ構想です。ロープウェイは高島宗一郎市長の「夢」だそうですが、福岡市の街の景観の良さは、スカイラインが保たれているところにあります。それをぶち壊しにする構想で、今後、厳しい批判が集中するものと思われます。そのトップバッターを意気込んで、半年がかりで企画したものです。

(1) 2018年10月15日　「福岡の暮らしと自治」　第490号　定価300円（含送料、会員の購読料は会費に含む）

福岡の暮らしと自治

2018年10月15日
第490号

編集・発行
（全国研・九州連絡所併置）
電話・FAX　092-472-4675
（発行人）石村善治
（題　字）鮫島国三

21世紀を切り開く住民自治—主権者の輝く地域づくりを研究所とともに・ホームページhttp://jitiken.jimdo.com/

本号、早わかり
P.1 高島・福岡市長のロープウェイ構想の問題点　（新谷肇一）
P.9 シマヘビの棲む庭　（宮下和裕）
P.11 玉城デニーさん沖縄県知事当選を祝う歌24首　（大津留公彦）

高島・福岡市長のロープウェイ構想の問題点
福岡市の交通事情の現状、街の魅力はどこにあるのか

新谷肇一（研究所理事・有明高専名誉教授・建築学）

博多駅〜博多港のロープウェイ構想と「福岡市WF地区アクセス強化研究会」

福岡市の高島宗一郎市長は2017年12月5日、再整備を計画している博多港のウォーターフロント（以下、WFと略す）地区とJR博多駅を結ぶ大博通りと、同地区と須崎公園の那の津通り付近をロープウェイで結ぶ構想を公表し「検討をスタートさせたい」と述べた。自身が開催した政治資金パーティーで「福岡スカイウエー構想」と銘打ち「回遊性の向上を目指す」プランとして披露した。

「地下鉄の約7分の1の予算で完成する。移動手段プラス観光（資源）として使える」と利点を説明した。終了後「あくまでも夢を語った」と述べつつ「多くの人と夢を共有し、議会とも相談しながら本格的に検討に入ることができれば」と実現に意欲を示した（2017・12・5毎日新聞）。ロープウェイを「私の夢」と表現し、「世界の都市はおもしろいやり方で課題を解決している。人が来たくなる街に向け、チャレンジを進めたい」とも語った（産経ニュース2018年6月）。

そして高島市長は12月21日の記者会見で、「博多駅と博多港WF地区を結ぶ新しい交通手段に関する研究会を設立すると明らかにした。高島氏は自身の夢としてロープウェイを導入する構想を描いており、事業性について助言を受ける」（産経新聞12月22日付）と述べた。12月20日の毎日新聞ではJR九州（株）の青柳社長が市長提起のロープウェイ構想は「夢がある。一緒に実現に向けて検討したい」、「（総事業費は）100億円かかると言われるが、ロープウェイの輸送力は結構ある。事業として成り立たせるのが課題だが、市の方針が決まればぜひ参加したい」と事業参入に意欲を示した。JR九州は博多エリアの開発を主導しており、WF地区とのアクセスが進めば、博多エリアの発展にもつながる。実は12月12日の西日本新聞によれば、WF地区と博多駅をロープウェイで結ぶ構想は、福岡市が2015年に約10年後の完了を目指すWF地区再整備計画公募で、JR九州が提案していたものである（福岡市WF地区（中央ふ頭・博多ふ頭）計画提案公募の提案概要を公表）。市長の単なる夢ではなく、JR九州と連携した動きであることがわかる。

ちなみに計画提案公募の応募件数は19件（単独15件、グループ4件）、応募企業は23社（国内18社、海外5社）であったが、応募があった19件のうち、応募者から承諾が得られた17件について提案概要書が公表されてい

会員増加運動に御協力ください（無料の宣伝誌を送ります。ご一報ください。）　研究所（メールアドレス）jiti@ked.biglobe.ne.jp

ロープウェイ問題を本格的に論じた、8ページにものぼる堂々の新谷肇一論文を掲載した18年10月号。

②福岡市議会ロープウェイ問題報道・西日本記事ほか

（福岡みやしたメールじょうほう・２０１８・１２・２０）

年の瀬も詰まってきましたが、今年もお世話になりました。

今日の西日本新聞の福岡都市圏版のトップに掲載された福岡市議会でのロープウェイ慎重審議の決議案が否決されたが、「『勇み足』与党も苦言」、「拙速せず議会と議論を」の見出しが目を引きました。

決議案は賛否は示さず、「検討は慎重を期すように」との、配慮したものでしたが、それでも与党会派は否決。だが市長の高ぶりに不満を持つ市議会の多くの議員の気持ちがにじみ出たような記事で、注目しました。

博多駅の屋上から見た大博通り、博多湾まで見通せる素晴らしい眺望、この頭上にロープウェイが計画されていた

関連して市長選挙前に所報10月号のトップに掲載して、関係各方面に配布し注目されたロープウェイ構想の問題点を初めて本格的に論じた、新谷肇一・有明高専名誉教授の論考を、研究所のホームページに全文掲載しました。所報は会員配布が本来ですので、ホームページに全文掲載することはあまりないのですが、問題の重要性にかんがみ、掲載したものです。

③福岡市ロープウェイ問題、博多駅ビル拡張問題などで西日本新聞「テレプラ」欄に3投稿

（福岡みやしたメールじょうほう・2019・01・30）

当所の所報「福岡の暮らしと自治」10月号で、福岡市の高島市長のロープウェイ構想の問題点を、新谷肇一・有明高専名誉教授がまとまった本格的な検討、指摘して評判となりましたが、本日（1月30日）の西日本新聞夕刊の「テレプラ」で、同問題での市民の指摘、見識が2本示されています。

また博多駅ビルの拡張工事についても、苦言が掲載されています。市民の常識・見識ここにありを感じました。ぜひご覧ください。

④急告　2月23日に、福岡市ロープウェイ問題でシンポを開催

（福岡みやしたメールじょうほう・2019・02・07）

当研究所が協力して、「市民が主人公の福岡市をめざす市民の会』の主催で、以下の通りシンポジウムが開かれます。時間がありませんので、主催者を差し置いてですが、急いで私の方からお知らせします。

ご案内　シンポジウム・「福岡市ロープウェイ問題を考える」

日　時　2月23日（土）13：00～15：00

会　場　エルガーラ7階　多目的ホール（博多大丸南側）

報　告　◎高島市長のロープウェイ構想の問題点～福岡市の交通事情の現状、街の魅力はどこにあるのか～　新谷　肇一・（公社）福岡県自治体問題研究所理事・有明高専名誉教授

◎「伝統文化としての博多・福岡町家の空間構成～京町屋より洒落た室内デザイン」斎藤　輝二・元東和大学教授

◎「台風が多い福岡でロープウェイ!?気象の専門家の視点から」福田　佳男・気象予報士

◎「『天神ビッグバン』『博多コネクティッド』など高島市長が進める大型開発と規制緩和」倉元　達朗・福岡市議会議員

主　催　・市民が主人公の福岡市をめざす市民の会

⑤朗報、ロープウェイ検討費削除を自民市議団検討

（福岡・みやしたメールじょうほう・2019・03・01）

朗報です。今日の西日本新聞が一面の左肩で大きく、「自民福岡市議団　ロープウェイ検討費削除　19年度予算修正案提案へ」と報じました。「修正案が可決される可能性が大きい　ロープウェイ構想の実現は不透明になった」としています。

福岡県自治体問題研究所では、まちづくり部会の研究成果として、所報「福岡の暮らしと自治」10月号に、新谷肇一・有明高専名誉教授・当所理事の論文、「高島・福岡市長のロープウェイ構想の問題点　福岡市の交通事情の現状、街の魅力はどこにあるか」を発表し、会員はもちろん、地元住民有識者、報道機関、議会関係者など各方面に広く配布し、世論に訴えてきました。

2月23日には研究所も協力して、市民団体の主催でロープウェイ問題でのシンポジウムが開かれ、反響を呼びました。

この所報10月号は、11月の福岡市長選挙に間に合わせるために、新谷先生が必死の思いでまとめたものです。

私は「空が見えるという福岡市の街の良さ、市民と歴代の行政担当者の営々と積み上げてきた努力を無造作に破壊するもので、福岡市民の強い反発は必至で、高島市政の最も弱い環になる」と強調してきました。

桑原市長以来の福岡市長選挙の動向は、博多湾埋め立て問題をはじめとする市民の粘り強い運動に現職市長が押され、市民の現職批判の声の高まりを利用して新市長が誕生する、そして現職の危機を生み出してきた市民運動の代表は当選しないというパターンが続いてきていました。山崎広太郎市長しかり、吉田宏市長しかり、現在の高島宗一郎しかりでした。

これらを私は「**トンビ**が**アブラゲ**」と表現してきました。そして最近の高島市長の動向は「**トンビ**が**ハゲタカ**」になろうとしていると、見ていました。

⑥示した博多町人の心意気、大博通り紹介で明月堂が西日本新聞に1ページ広告

（福岡みやした・メールじょうほう・2019・03・10）

本日の西日本新聞に、明月堂創業90周年特別企画「福博今昔通り物語」の①として、「大博通り編」を第4面の1ページを使って、取り上げています。

大博通りは、この「メールじょうほう」（3月1日）でも、以下のように紹介したように、高島福岡市長がロープウェイを計画している大通りです。

「私は『空が見えるという福岡市の街の良さ、市民と歴代の行政担当者の営々と積み上げてきた努力を無造作に破壊するもので、福岡市民の強い反発は必至で、高島市政の最も弱い環になる』と強調してきました」

この大博通りを明月堂創業90周年特別企画「福博今昔通り物語」の①として取り上げたところに、地元有識者、有力者としての心意気を感じました。

ぜひ、お読みください。まだヤシの木が植えられたばかりで、まだ低木時代の写真も添えられています。

博多の誇る景観　サンパレス前交差点（海側）から博多駅方向を見た大博通り

⑦福岡市議会特別委、ロープウェイ予算削除

（福岡みやした・メールじょうほう・2019・03・12-2）

今日、福岡市議会の条例予算特別委は、ロープウェイ予算を削除する修正案を、賛成多数で可決しました。

予算案に限らず、議会の執行部提案の否決に対抗して、市長による再議請求が地方自治法では可能です。その場合は削除の修正決議に対して、三分の二以上の賛成が必要となりますが、2年前に高島市長は成功した経験があります。

だが4月7日の市議選投票日を控えており、現在実質的に市議選挙が始まっている中で、市長と市長支持派があえてそこまで踏み込めるかどうか、まさに今後の市民の世論如何にかかっています。

⑧高島・福岡市長ロープウェイ断念、市民の勝利

（福岡みやした・メールじょうほう・2019・03・14）

昨日の福岡市議会本会議でも、ロープウェイ関連施策の削除が39対20の賛成多数で可決され、高島市長はその後ロープウェイ構想の断念を表明しました。

市民の勝利です。私たち市民は馬鹿ではありません。あまりの市民の反発に、市議選を控えた高島与党も支えきれず、断念したものです。今日の西日本新聞が一面トップで報じています。

特に昨日の西日本新聞が、朝刊で市議の会派別個人名を入れての賛否一覧表を色刷りで報じたのには、注目しました。高島市長に賛成の市議にはかなりのパンチになったと思われます。

研究所が41年の歴史の中で力を入れて取り組んだ大濠公園浄化問題、引き揚げ港博多の記念碑建設などの時と同じような、勢いを感じました。守

護神のついた運動でした。

研究所としては一昨年末ごろより、検討を始め、昨年所報「福岡の暮らしと自治」の10月号に、新谷肇一・有明高専名誉教授・当所理事の論文、「高島・福岡市長のロープウェイ構想の問題点　福岡市の交通事情の現状、街の魅力はどこにあるのか」を発表して、広範な市民に資料を提供してきましたが、その成果が実ったものでもあり、うれしい限りです。

この成果を、今後どう発展させていくかが、私たち市民に問われています。

第二節

第60回全国自治体学校の福岡開催をめぐって

来年の第60回全国自治体学校の開催地、福岡からのあいさつ

＊第59回全国自治体学校が、千葉市の『青葉の森公園芸術文化ホール』で（２０１７年）７月22日から24日まで開催されましたが、以下は初日の全体会の最後に宮下が行った発言です。最終日の24日の全体会でも横山孝雄事務局次長が、感想を含めて来年の向けての協力の呼びかけを行いました。

皆さんこんにちは！　来年の開催地を仰せつかりました九州の、福岡県自治体問題研究所、事務局長の宮下と申します。40年間、事務局を続けてきました。

まずこの度の九州北部豪雨に対して、全国の皆様から寄せられている御見舞い、御支援に心からの感謝を申し上げます。映像で凄まじい土木流の破壊力をご覧になられたことと思いますが、福岡・大分の両県で死者34人、行方不明7名にのぼっています。特に激甚地の朝倉は、24時間雨量が1,000ミリと想像を絶するもので、3年前の広島豪雨の3倍以上でした。しかも耳慣れない「線状降水帯」が、これでもかこれでもかと、被災地に連日発生して、恐怖の毎日でした。今朝のニュースでは、加えて北海道や東北での豪雨が伝えられています。

35年前の自治体学校の際には長崎大水害が発生し、当時の自治体学校は3泊4日での開催でしたが長崎市役所から参加の方々は、全員直ちに戻ら

れたこともありました。
九州は風水害の多いところです。戦後は昭和28年に発生したので「28水」と略称されていますが、1953年6月に北部九州4県で1,000人を超える死者・行方不明者が出て、翌7月には紀伊半島でも1,000名を超す死者・行方不明者が出ています。詳細は省きますがこのなかで住民と民主団体、研究者が立ち上がり地域の、日本の民主勢力も再建されていきます。そして翌年の国の一般会計予算のほぼ半分が復旧費や防災に使われ、戦後日本の、国土建設の画期となりました。
最近の異常気象は地球温暖化の影響ともいわれていますが、様々な災害とのたたかいのなかで人類は生存し、鍛えられてきました。昨年の熊本地震も含めて今回の災害とも不屈にたたかい、再生を遂げると確信しています。が、人知を超えた原発事故だけは絶対に繰り返してはならないと、今回改めて痛感しています。

福岡・博多は御承知のように太古の昔から、大陸との交流の窓口でした。九州は水俣や北九州の公害克服の取り組み、柳川のクリーク浄化、お隣の大木町の循環型社会システムのまちづくり、山笠などのお祭り、美味しい食とそれを支える農・漁業、酒、なかでも焼酎が有名です。

先ほど40年間事務局を続けていると申しあげましたが、福岡研究所は私に限らず設立以来の役員、会員が大勢いるのも特徴です。代表理事の石村善治先生は憲法学者で、「知る権利」問題では、日本での草分け的存在の研究者ですが、なんと90歳で現役、毎日走り回られ、私より元気です。昔から教え子たちから「アブノーマルにノーマル」、日本語でいうと「異常に元気」と賞嘆されてきたほどです。『鶴の子』で有名な博多の老舗・石村萬盛堂のご出身です。そういう役員、会員一同で九州各地の皆さんと力を合わせて、全国の皆様をお迎えしたいと思います。

すでに7月21日と23日（土・月）の全体会会場は、福岡市民会館大ホールが押さえられていますが、22日（日）の分科会会場も関係者の御協力で、西南学院大学を無料で借用できることになりそうです。西南学院は昨年、創立１００周年を迎えましたが、戦争に協力してきたこと、さらにはそれを戦後頬かむりしてきたことを反省して「創立１００周年にあたっての平和宣言・・・西南学院の戦争責任・戦後責任の告白を踏まえて」を出して、注目されています。このことを取り上げたブックレットを、福岡研究所で本年1月に出版しています。

それから全国実行委の承認がいただければ、のことですが、福岡市民が産み出し支えてきた、アフガニスタンで貧困をなくしテロを根絶するため、砂漠・荒れ地を肥沃な緑地に変える用水路建設に奮闘している中村哲医師（ペシャワールの会）、まさに日本国憲法の積極的平和主義を文字通り実践しているわけですが、私の大学時代の同級生です。この中村医師の講演も可能になりそうです。

来年は九州、福岡へどうぞお越しください。そのなかで私たちも新たな成長を図りたいと考えています。

（初出、「福岡の暮らしと自治」、２０１７年8月号）

ようこそ！第60回自治体学校in福岡
「憲法をまもり、いかす」という今日の国民的大事業に、実践的にも直接大きく貢献するもの

（18年）7月21日から3日間、初めて関門海峡を越えて、太古の昔から大陸に開かれた九州・福岡で、記念すべき第60回の自治体学校が開催され

ます。すでに福岡・熊本・宮崎・長崎の研究所、住民団体、民主団体、自治労連や県労連といった労働組合を中心に、九州の力を結集して、昨年11月には現地実行委員会を結成し、すでに4回、学校開催までには6回の実行委員会を重ね、成功のための取り組みを進めています。

　今回のテーマは「憲法をくらしにいかす地方自治」です。自治体学校ではたびたび憲法をテーマとしてきましたが、とりわけ今回は「憲法を守り活かす」という現在の国民的大事業に、直接大きく貢献できる内容で準備されています。

　第一日目（21日）の福岡市民会館での全体会は福岡市早良区の野芥櫛田神社の青年たちによる勇壮で艶やか、力強い野和太鼓の歓迎行事でオープン。歓迎のあいさつは、御年91歳で現役の憲法学者、市民運動家で、〝福岡の希望の星〟と心ある市民からの尊敬を一身に集める、石村善治・現地実行委員長（福岡研究所代表理事）に時代の生き証人として、戦争のために「青春を叩き折られた」先輩や仲間の叫びを語っていただきます。

　記念シンポジム「地域・くらしに憲法をいかす」は、第一部が石川捷治・九州大学名誉教授（政治史）をコーディネーターに、「憲法はいきているか―それぞれの現場から」をテーマに、子どもの貧困・生活保護・沖縄・東アジアの平和、についてのリレートークです。

　特に当時の福岡市長が掲げた「アジアの拠点都市・福岡」とのマスタープランを「何のための拠点都市か」と問いかけ、「アジアの交流拠点都市・福岡」へと変更させ、博多港に

博多湾と福岡の市街地風景、案内リーフより

引き揚げ記念碑を実現させた貴重な取り組みも紹介されます。第二部が特別対談として京都府の元副知事で故郷の岡山県・真庭市の市長に市民から呼び戻され、「希望と元気な真庭に市民の皆さんと挑戦します」との取り組みで注目を集めている太田昇・同市長と、石川先生に「地域・くらしに憲法をいかす自治体づくり」を、縦横に語りあっていただきます。

二日目（22日）の分科会は西南学院に会場を御提供いただいての開催ですが、元寇史跡も残る松原の中にある瀟洒なキリスト教系の学校です。一昨年4月には「西南学院創立百周年に当たっての平和宣言―西南学院の戦争責任・戦後責任の告白を踏まえて―」を発表したことで知られています。博物館もあります。学内散歩もどうぞ。

分科会は介護、医療、子ども、公務員制度、地域循環型経済、大規模災害、公共施設、地域交通、脱原発、水道、財政の10分科会。財政、社会保障

松原のなかの西南学院

西南学院博物館

博多港は日本一の引き揚げ港であったが、広範な市民運動の成果で実現した博多港・国際埠頭の引き揚げ記念碑「那の津往還」、平和にちなんだ本郷新賞を受賞。

の2講座、大木町の住民自治の環境行政、熊本地震の現状と課題、諫早干拓・有明海の再生、と全国的に注視されている3ヶ所の現地見学会を実施します。

参加者の自主交流の場、ナイター企画は「まち研」交流会、生活保護、九州北部豪雨、自治体労働者の4つ。恒例の開催地の地酒を楽しむ交流会には、焼酎・泡盛・日本酒など九州ならではの名品が並びます。

三日目（23日）の全体会は、馬奈木昭雄・弁護士の特別講演「くらしの現場で国民主権を守ろう」です。「九州は人権運動の活火山である」といわれてきましたが、馬奈木弁護士はその中心として、水俣病救済、じん肺、諫干問題と有明の再生、産廃問題、脱原発問題など縦横無尽に活躍されています。そして何よりも「私たちは負けない。なぜなら、勝つまでたたかい続けるから。被害者がいるかぎりたたかいは続く」・・・沖縄でも掲げられているこのスローガン生みの親、九州・福岡が誇る馬奈木弁護士です。

最後に一言、**憲法第8章としてなぜ「地方自治」が組み込まれたのでしょうか**。日本国憲法の全体系上の『第8章　地方自治』の存在意味、特に国民主権・基本的人権の尊重・恒久平和主義という憲法3原理との関係についていえば、**まともな地方自治がなければ「憲法3原理は絵に描いた餅」となる**ということ、いわば**日本国憲法を支える土台として、『第8章　地方自治』は設計され、誕生、存在**しています。今回の自治体学校は、「憲法を守り活かす」という現在の国民的大事業に、実践的も直接大きく貢献できる内容で準備されています。御参加とお誘いを、切に御願いします。

（初出、「住民と自治」、1998年7月号）

第三節

引き揚げ港・博多をめぐって

①博多港引揚記念碑

福岡市が、第二次世界大戦後の日本一の引き揚げ港であったことをご存知ですか。正式の統計で佐世保とならぶ139万人、ヤミで帰ってきた人、解放されて逆に福岡から大陸に戻った「逆の引き揚げ」を加えると、200万人を優に越えるダントツの引き揚げ港でした。

福岡市がこうした街であったことを忘れまいとする「引揚げ港・博多を考える集い」を中心とした市民の運動によって、96年3月に落成したのが「博多港引揚記念碑」です。引き揚げ船の船長だった、糸山泰夫さんの新聞投書から始まりました。

博多港の国際埠頭の一角に、船上で朱色の二人が抱き合ったイメージのデザインで、「那の津往還」と題されています。ミラノを拠点に活躍してきた彫刻家の豊福知徳氏の作品で、平和にちなんだ彫刻に贈られる本郷新賞も受賞しています。（写真は本書、前節に掲載）

当時の福岡市長が掲げたスローガン、「アジアの拠点都市」にたいして、かつてはアジア侵略の拠点で、戦後は悲惨な引き揚げの舞台となった福岡市が何のための拠点になろうというのかとの、強い危惧をいだいた市民運動の成果でした。運動を受けて福岡市のスローガンも、「アジアの交流拠点都市」と、変更されました。碑文も国際埠頭に大陸から着いた人たちも納得できるようにと、当初の市案が村山談話の線で大幅に手直しされたのも、市民の運動の成果でした。簡単な紹介は、拙著「希望としての地方自治」（2000年、自治体研究社）をご覧ください。

（初出、「住民と自治」の連載「史跡さんぽ」の①、2015年7月号）

②親しみと信頼感を込めて「ほったさん」

堀田さんは本当は「ほりたさん」なのだが、私たちは親しみと信頼感を込めて、「ほったさん」と呼んできた。堀田さんといえばすぐに浮かんでくるイメージを思いつくままにあげてみる。先ず約束を守る、誠実、実務をにくいほどこなす、なんでも徹底してやる、安定感、裏切らないなど次々とでてくる。

堀田さんには私の勤務する福岡県自治体問題研究所の有力会員として、あるいは福岡市政研の会長として言葉でいいあらわせないほどお世話になり、何度も感銘を受け、うならさせられたことがある。

かつて市政研と研究所とが協力して「まちづくりセミナー」を開催し、その成果を「まちづくりの視点」と題する出版物にまとめた時のことである。録音担当者がスイッチを押すのが遅れたらしく、ある先生の講演の出だしの部分が十分間ほど入ってなかった。超特急で仕上げなければならないのに、その先生は原稿化を私に一任してすでにヨーロッパに留学中であった。私のメモはとても原稿に復元できる代物ではなかった。そこで堀田さんならば可能かもしれないと、欠落部分の復元を頼みこんだ。「ちゃんとメモしていないので自信がない」との言葉とは裏腹に、届けられたものはあまりにも立派すぎ、堀田さんは自分用に録音したテープを持っていたのではないかと一瞬、思ってしまったほどであった。

堀田さんの四十年にも及ぶ市役所人生の最後を飾り、かつ今後を方向づけたものはいうまでもなく「引揚げ港・博多を考える集い」の市民運動と日韓交流史研究会の活動ではないかと思う。前者の「引揚げ港・博多を考える集い」の方は、提唱者の糸山泰夫さん（元引揚げ船船長でかつての福岡海上保安部長）につつかれて、糸山さん、堀田さんと私の三人で始めたものである。

もう六、七年前のことになるが堀田さんから電話があった。グループで好きなテーマを選び、勉強の成果をレポートして提出するという市の職員研修に参加することになった。テーマは「旧博多部の活性化」にしたが、ついては何か良い知恵はないかというものであった。

私に格別の知恵があろうはずがなかったが、旧博多部の関係者で「はかた部ランド協議会」というまちづくりグループが活動を始めていたのでその人たちと接触したらどうかということと、旧博多部にある博多港は実は日本最大の引揚げ港で、「博多港に引揚げ記念碑を」と提唱している元引揚げ船の船長がおられると、糸山さんの新聞投書を紹介したのであった。堀田さんたちは引揚げ港問題を含めたレポートを職員研修所に提出することになる。

そして五年ほど前には糸山さんに誘われて三名で、博多港に唯一残されていた当時の施設、かつて引揚げ者をとりあえず収容した倉庫、これは満鉄の子会社であった日満倉庫（現・東洋埠頭）所有のものだが、これを港の再開発による解体直前に見学したこともあった。

このあと「もう我慢がならない。署名運動でも始めよう」と高齢の糸山さんから詰められて、〝若手〟の堀田さんと私が糸山さんに使われる形で、なんとかやってみようと手探りで運動を始めることになった。これからの堀田さんの大活躍は改めて語るまでもないほど知られている。ちなみに堀田さんは「はかた部ランド協議会」にも入会し、旧博多部のまちづくりに取り組む人たちとも仲良しとなり、「はかた部ランド協議会」には引揚げ港・博多の運動にも多大の協力をいただくことにもなった。以上のことは最初にあげた堀田さんのイメージがまさに実像であったことを証明している。

ここで堀田さんのイメージとして、どうしても追加したい言葉がある。これは「少年のような心を持った人」ということである。堀田さんは実に濁りと、はったりのない人である。この濁りのない少年として、堀田さんはあと二十年は元気にがんばれるのではないかと思う。先日、私どもの研究所が主催した韓国の地方自治の視察旅行に同行したさい、二年早く退職して勉強し、日韓交流に役立ちたいとの決意をあらためて聞かされたが、濁りのない少年の心を持った堀田さんが人生の勝負に出たと思った。

歴史は無駄には動いていないし、国民も馬鹿ではない。堀田さんの前途には洋々たるものがあると確信している。最後に韓国への留学には、長い間ご苦労をかけられたであろう奥様をぜひご一緒にと願っている。

壮にして学べば、
則ち老いて衰えず。
老いて学べば、
則ち死して朽ちず。

（佐藤一斎の言葉から）

（初出、「少年のように生きて・堀田広治文集」、傍点は筆者、1996年3月）

③「日本とコリア」創刊200号に寄せて・・・歴史は、私たち人間が創る

（日本コリア協会・福岡の機関誌、「日本とコリア」の）200号おめでとうございます。これは中心の堀田さんとそれを支える白垣さん、松崎さん他、大勢の方々の毎月の定期発行です。それも御尽力、紙面に登場されたそれこそ実に多彩・多数の各界の方々、何よりも毎月届くのを楽しみに

してきた読者の方々の、〝総合的な力の総結集〟とでもいうべき、快挙と思います。
こんな事例は全国の都道府県の日朝協会（日本コリア協会）でも、私は実情に詳しいわけではありませんが、皆無ではなかろうかと推測しています。今後、後世の歴史家が友好運動や福岡の歴史を調べる際の、基本資料の一つになると思われます。国立国会図書館や県立図書館などにはこれまでも各号、送付されていることと思いますが、この際ぜひ創刊号から２００号までの「合本」を作成されて、後世に伝えられることを希望します。

こうした快挙が可能となったのは、堀田さんの存在を抜きにしては語れません。40年前に私どもの福岡県自治体問題研究所が設立された頃、「堀田さんが情宣部長の時は福岡市職労の組合ニュースは、安心して仕事ができた」と、印刷所の担当者から思い出話を聞かされたことがあります。

歴史は、私たち人間が創るものです。堀田さんをはじめとする日本コリア協会・福岡の皆様方の益々の御健康、一層の御活躍を祈念して、御祝いの言葉とさせていただきます。

（２０１７・０５・１１）

（初出、「日本とコリア」、２０１７年6月号）

第四節

公益社団法人 福岡医療団総会での開会あいさつから

①民衆的民主主義は着実に、この日本に、地域にしっかりと育ってきている・・

憲法自身が持つ生命力とそのなかで学び成長し、憲法を守り活かしてきた、私たち国民の歴史に確信を

（福岡医療団社員総会での開会のあいさつから、２０１５・６・２２、７月１日の安保法制閣議決定の目前での総会）

社員の皆さん、おはようございます。朝からお疲れ様です。福岡医療団の非常勤理事の一人で、自治体問題研究所の事務局長をしている宮下と申します。御指名ですので、開会のあいさつをさせていただきます。

今朝の新聞では、安部政権の戦争できる国づくりに向けての、集団的自衛権の容認を狙う憲法の解釈改憲に反対の、決議や意見書を表明した市町村議会が１００を超えたと報じられています。４月５日の時点で48でしたから、倍以上に増えていることになります。

国会での数を頼みにした安部首相の暴走には、驚くばかりです。テレビで見る最近の安部首相の顔は、まるでまわりを睥睨《へいげい》した、「俺が何でも決める」と言わんばかりの、暴力団の親分のような顔に、急に変わってきています。

しかし２０１２年12月の総選挙直後の、医療団内報にも書きましたが、朝日新聞の全国世論調査でも、自民大勝の理由として「自民の政策支持」はわずか７％で、「民主党政権に失望」が81％でした。自民党の小選挙区での得票は、かつて大敗した09年より、166万票も減らしたなかで、安部政権は誕生しているのです。

このように第2次安部政権は民主党政権への失望、戦後最低の投票率、国民の意向を反映しない小選挙区の弊害、多党化現象による票の分散によってもたらされたものです。

しかし、私たち日本国民は愚か者ではありません。日本国憲法が誕生以来、かつての大日本帝国憲法（明治憲法）の56年を超える67年間も、これはちょうど私の歳と同じですが、存続してきたなかで、民衆的民主主義は着実に、この日本に、地域にしっかりと育ってきている現実も忘れてはなりません。

あまりよく知られていませんが、日本国憲法は世界の現行憲法の中で制定以来、無修正できた憲法としてはダントツ1位の歴史を持っています。内容の点からいってもダントツ1位です。これは世界中の188の成文憲法を比較したアメリカの学者たちの、パソコンを駆使した集団研究によってすでに明らかにされています。

その秘密は、日本国憲法が人類の到達点を反映して制定され、国民やアジアと世界の民衆の願いに合致していたという、憲法自身が持つ生命力にあります。そしてそのなかで学び成長して、憲法を守り活かしてきた、私たち国民がいたからです。詳細は、医療団にも普及にご協力いただきましたが、私がまとめたこの冊子、「憲法を守り活かす力はどこに」をご覧ください。自分でいうのもなんですが、なんと草の根で4,500部も普及し、このこと自体が心ある国民を励ます、ニュースになっています。

最後に、今日の総会議案書で、私が特に注目していることを一つだけ紹介しておきます。それは本年4月には、常勤医師の数が過去最高となった、と報告されていることです。相次ぐ医療制度改悪のなかで、全国的にも経営困難が生まれています。福岡医療団もその例外ではありませんが、医療団には皆さんの奮闘によって、いろんな困難とともに新しい可能性が広がっていることを特に強調しておきたいと思います。

広範な国民・地域住民と団結して、また内部的にも民医連綱領に団結して、力を合わせて奮闘しましょう。

②政党を含む国民・市民の共同、統一の画期的広がり

（2016・06・25）

自治体問題研究所の宮下です。本日は医療団理事の一人として、開会のあいさつをさせていただきます。

御承知のように今、参議院選挙の真っただ中で、改憲勢力の議席が3分の2を超えるかどうかが焦点と報じられています。実は2年前の6月22日の総会でも、私が開会のあいさつを担当しましたが、ちょうど集団的自衛権の閣議決定を目前にした時でした。そのとき私が強調したことは「民衆的民主主義は着実に、この日本に、地域にしっかりと育ってきている。憲法自身が持つ生命力と、その中で学び成長し憲法を守り活かしてきた、私たち国民の歴史に確信を」ということでした。

この2年間の情勢の発展には目を見張るものがあります。端的に言えば「共産党を除く」が、まかり通っていたオール与党的状況から、参議院32の一人区のすべてで反安倍政権・憲法擁護の野党統一候補が実現したことに象徴される政党を含む国民・市民の共同、統一の画期的広がりです。

こうした動きの背景を雄弁に物語るのが、本日

お手元にお配りしている「西南学院創立100周年に当たっての平和宣言」です。詳細は、後ほどお読みいただきたいのですが、これは西南学院の戦争責任ばかりでなくそれをあいまいにしてきた学院の戦後責任をも告白したうえで、「西南学院に学ぶ者たちや教職員が目をさまして行動し、国際社会の一員となり、『平和を実現する人々』の祝福の中に生きるものとなるよう、今その志への決意をここに表明します。」と提起しています。

なぜこの宣言が発表されたのか、この中には書かれてないことを一言だけ紹介して、終わりにします。それは、西南学院はかつて全国大会でも優勝したこともあるラクビーの強豪でした。ラクビー部のOBたちが部の歴史をまとめようとした時、あまりにも多くの先輩たちが若くして亡くなってること、その原因が学徒出陣にあると気づき、それに加担した学院としてもしかるべき追悼の機会を設けるべきだと、申し入れたことが一つのきっかけになったそうです。歴史は無駄には動いていませんし、私たち国民は馬鹿ではありません。今こそ歴史を活かし、私たち国民が一層成長するチャンスではないかと訴えて、開会のあいさつとさせていただきます。

③米朝会談とこれからの日本・地域の課題

（2018・06・23）

おつかれさまです。

先日の米朝会談は、皆さんも驚かれたことと思いますが、半年前には予想だにできなかったことでした。トランプも金正恩（キン・ジョンウォン）も際立って個性的な人物で、今後どうなるか色々ジグザグが予想されます。専門家ほど、疑いの目を寄せているのが特徴です。

だがはっきりしていることは、トランプ大統領は米朝会談と朝鮮戦争に終止符という、だれもできなかった史上初の大統領という栄誉、ノーベル賞の声まで出ています。キン・ジョンウォンも同じことで、祖父も父親もできなかった業績、超大国の米大統領と差しで会談、核保有・ミサイルを武器に朝鮮戦争に終止符、存在・体制の容認、今後の日本からの植民地支配の「賠償金」の獲得、その他国際的支援を受けての経済発展が予想されるなど、両者の利益にかなっています。

しかもこの会談は韓国の文在寅（ムン・ジェイン）政権の存在があって実現したものであり、世界から大歓迎されています。世界情勢、東アジアの情勢に新しい可能性が広がっていることは間違いありません。問題は日本が、沖縄をはじめとする日本の米軍基地の存在を今後どうするのかという問題をはじめ、私たちがこれからどういう役割を果たすかということです。

一時トランプ大統領が会談中止を表明した時、世界でただ一人賛成、対話より制裁第一を表明し、世界の物笑いとなった安倍首相でしたが、その後の展開に「置いてけぼり」を食ってしまい、トランプ大統領から促されて、あわてて日朝会談の意向を表明する始末でした。

個人も国も自分の頭で考えるということが重要です。最近の国会を見ても、小選挙区制のよって生みだされた絶対多数にアグラをかいた、真剣な議論をせずにはぐらかすという、〝ご飯問答〟で有名になった政治家ならぬ政治屋たちの劣化には、驚くばかりです。

ここ福岡には板付基地がありましたので、68年前に始まった朝鮮戦争時には、最前線基地となったところです。ちょうど50年前の6月には私の学生時代ですが、アメリカのスパイ船プエブロ号が、北朝鮮に拿捕されるという緊迫したなか、米軍ファントム戦闘機・偵察機が九大に墜落という大事件が発生したこともあります。

ちなみに千鳥橋病院は朝鮮戦争など緊迫した情勢のなかで大陸への帰国ができなくなった、周辺地域の在日朝鮮人・韓国人とのつながりもあって発展してきた歴史を持っています。

私は20年ほど前、かつて「千鳥橋病院・医療団は存在すること自体が、まちづくりだ」と発言したことがありますが、最近の地域と医療情勢は、住民の生命と健康を守る医療団が、私たち市民が、質量ともに飛躍することを求めているように思います。政治や行政のレベルは、結局は私たち市民、国民のレベルで決まります。

お手元に7月21～23日まで、初めて海を越えて、この福岡市で開催される第60回全国自治体学校のカラー印刷の御案内をお配りしていますが、アジアの玄関口・福岡で開かれるにふさわしい、充実した内容になっています。「みんなが先生、みんなが生徒」を掲げた、第60回という回数が物語っているように、歴史と伝統を誇る勉強会です。医療団や民医連のご協力もいただいて開催されます。

参加費は3日間で1万6千円と高いのですが、開催地の特典として3日間でなんと2千円という格安で参加できます。採算は全国からの参加者に任せて、地元は大勢参加して、地域の力の形成に役立てて欲しいとの趣旨です。劣化した政治屋たちを打破するために、私たち自身の生活擁護、平和のために、いっそうレベルアップする貴重な機会として、ぜひ位置づけてご参加いただければ、幸甚です。

第五節

日韓交流の取り組みから

第18回　研究所韓国旅行レポート

福岡県自治体問題研究所の第18回韓国旅行は、（２０１６年）11月26～28日（土～月）の３日間の、釜山のトンネ（東莱、釜山発祥の地、古代の金官伽耶）や、仮面劇・民族舞踊を訪ねる旅を、21人の参加で実施しました。帰国の翌日には朴大統領の「辞意」表明がおこなわれました。

◎最近のトンネでの発掘調査の成果を収めた「福泉博物館」、「壬辰倭乱歴史館」などを訪ねました。古代の金官伽耶は現在の日本とのつながりが極めて強い地域で、特に洛東江一帯は鉄の生産が盛んで、当時の日本とのコメの交換の盛んにおこなわれていました。詳細は拙著『憲法を守り活かす力はどこに』の第４部「鉄の歴史と日本列島」を参照ください。

壬辰倭乱歴史館は地下鉄工事の際、発見・発掘された秀吉の朝鮮侵略時の犠牲者の遺骨や遺物を展示したものです。

トンネ（東莱）の民族舞踊から

◎最近注目されている韓国民衆の歴史的たたかいの一部も垣間見ることができました。ガイドの女性も19日の土曜日は子連れで釜山でのデモに参加されたそうです。所属旅行社の支店長も出張先のソウルで参加したとのことでした。

かつての警官隊との激しい衝突から、大きく脱皮して、国民的共感を呼ぶ運動形態が広がっています。これはここ10年ばかりの注目すべき運動スタイルの変化、成長ですが、韓国の民主化がかなり進んできたことの反映でもあります。

当研究所の韓国旅行は日本列島と朝鮮半島のつながりの歴史を訪ねる旅として、毎年続いていいます。その以前の軍事独裁政権の末期には韓国の地方自治、農業問題、漁業問題などのテーマごとでの調査旅行も実施しています。

（初出、「住民と自治」、２０１７年2月号）

第20回 研究所韓国旅行　29人無事帰国

軍事独裁政権の末期、25～6年ほど前から本格的に始めた当研究所の日韓交流ですが、シリーズ物の日本と朝鮮半島の歴史を訪ねる旅・「日朝の歴史を訪ねて」（現・研究所韓国旅行）の20回目を２０１８年11月17～19日、29名の史上最高の参加者で実施。南北国境地帯を訪ねて喜ばれましたが、ケガや事故もなく、全員無事に帰国しました。

この企画を立てた今年初めは、半島情勢が一触即発の情勢でしたので、実際に旅行が実現するか不安でしたが、その後の劇的な情勢の展開で、無事予定通り進行できました。詳細は所報1月号で、参加者からのレポートを掲載予定ですが、以下の2枚の写真をお届けします。

（初出、「福岡の暮らしと自治」、２０１８年12月号）

ソウルから流れる漢江（ハンガン）と北朝鮮から流れる臨津江（イムジンガン）が合流する地点の高台にある烏頭山統一展望台からの国境地帯を望んだ写真、向こう側が北朝鮮。左側が漢江（ハンガン）で、右側が臨津江（イムジンガン）、奥が合流した漢江で海（黄海）に至ります。

それから北朝鮮が70年代に南進のため非武装地帯をくぐって韓国側へ掘削した第2トンネルの入り口（ここは韓国がトンネルを摘発して、トンネルルへとつないだ入り口）での記念撮影。トンネルのなかは撮影禁止で、入り口のみが許可でした。この入り口のだいぶ手前にあった軍の検問所から内側は風景の撮影も禁止。

第21回 韓国旅行のお誘い

（2019年）11月23日～25日の第21回研究所・韓国旅行が迫ってきました。日韓関係が稚拙な外交によって、より混迷を深めている中、この旅行は民間での交流を続けてきただけに、今年は特に大きな意味があります。

もともと当研究所では、故・三上禮次先生を中心に30年以上前の、ウルグアイラウンド、韓国軍事独裁政権の末期ごろから、民衆レベルでの日韓交流に取り組んできました。

現地には戦前からの韓国の民主運動家であった、「研究所の韓国駐在員」と勝手に任命していた故・チェ・ヨンモクさんがおられて、色々お世話いただき、首長の初の公選直後の視察や、環境、漁業、農業などテーマ別の視察旅行のほか、22年前から日本と朝鮮（韓）半島のつながりを訪ねる旅・シリーズを続けて、大きな成果をあげてきました。

三上先生の御逝去によって1年だけ休止したこともありますが、御夫人の三上宏子さんが、御主人の遺志を受け継ぎ、昨年に続き今回も参加されます。これらの視察・交流の成果の概要は、すべて所報「福岡の暮らしと自治」に掲載、報告してきました。

この旅行を世話されて、「日本人にもこんな人たちがいるのか」と感動した現地旅行社の社員の方と、当所の世話役とのロマンスも生まれています。今回は参加者も入れ替わってきたこともあり、初心に戻って日本の植民地支配の始まりのころの歴史、朝鮮（韓）半島の文化を訪ねる旅を企画しています。

韓半島の歴史と文化、美を集約した国立中央博物館や、復旧なった景福宮、閔妃暗殺の現場、3・1独立宣言のバコダ公園、安重根義士記念館、西大門刑務所・独立公園、堤岩里教会、水原華城などを訪ねます。レベルの高い参加者に見合った、優秀なガイドの方に、案内をお願いしています。
参加者にも、若い方の参加が増え喜んでいますが、今年は特に20代の女性が複数で参加いただけます。参加者同士の体験を経てきた中高年と、若者との交流もこの旅行の魅力となっています。
詳細は、貼付の案内をご覧いただいたうえ、ぜひお申し込みください。福岡以外からの参加も大歓迎です。

（初出、２０１９・０９、旅行のお誘い文冒頭）

第21回 韓国旅行のスナップから

景福宮の守衛兵の交代式から

西大門刑務所の建物入口

朝鮮の釣鐘（国立中央博物館）

市民が描いた民族の英雄・安重根（安重根記念館）

第六章

先達に悼《おく》る言葉

第一節

内田一郎先生（前理事長）逝く

1977年12月の研究所創立から99年5月の第22回総会まで理事長をつとめられた内田一郎先生が、（2015年）4月15日朝、ご自宅の布団のなかで安らかに永眠されました。96歳でした。

2週間ほど前にも宮下が御機嫌うかがいで電話したところ、「入院したりしましたが、なんとかやっています」と、大変お元気そうでした。そのときに「山口市内で開催予定の、篠山紀信の写真展を、一緒に見に行きましょう」と、お誘いしたばかりでしたので、驚きました。

17日に御通夜、18日に御葬儀が山口市内で盛大におこなわれ、研究所を代表して石村善治代表理事が、弔辞をささげました。研究所からは先生の最後の御著書『野菊の咲く途…読書と私』（正・続）を100冊ほど、ロビーに展示させていただきましたが、すべて参加者に持ち帰っていただき、感激しました。

（初出、「福岡の暮らしと自治」449号、2015年5月、石村善治・代表理事からの弔辞の、リード部分として掲載）

◎西日本新聞連載中の小田富士雄・福岡大学名誉教授の聞き書きで、内田一郎先生の愛弟子 林重徳・佐賀大学名誉教授を紹介

（みやしたメールじょうほう・2019・01・30より）

現在、西日本新聞に好評連載中の小田富士雄・

福岡大学名誉教授の聞き書きシリーズは、毎日の楽しみですが、今日の90回目には、17年10月に72歳で亡くなった林重徳・佐賀大学名誉教授（地盤工学）の大宰府や基肄城の発掘、修復などでの活躍ぶりが、一回分を丸々使って紹介されています。

林さんは、当所の初代理事長を22年間務められた内田一郎先生（九大名誉教授、土木工学）の愛弟子の御一人で、51年前に九大に米軍機ファントム機が墜落した頃、私より2年ほど先輩でしたが、大学民主化を共にたたかった仲間の一人でした。

このころの小田先生は、九大の考古学教室の助手で、この聞き書きでも早い段階でこの時期に触れられましたが、考古学研究室にも大学民主化、学園暴力の追放をたたかった仲間たちがおり、若き研究者としてその後の活躍ぶりが、早世された方もいますが、紹介されていました。

林さんとはここ5年の間にも何度か御一緒する機会がありましたが、あまりにも早い御逝去に驚いたものでした。小田先生の心のこもった紹介に、ご本人も、そして考古学や歴史に造詣の深かった内田先生も喜んでおられることでしょう。

合　掌

◎中曽根元首相の逝去に、内田一郎・九大名誉教授（当所初代理事長）を想う

（みやしたメールじょうほう・2019・12・02より）

11月21日に元首相の中曽根康弘氏が、101歳で逝去された。「死者に鞭打たず」といいますが、マスコミでは好意的な評価が目立ちました。その背景には、一つは中曽根氏自身が、直接の部下をたくさん死なせたという、悲惨な戦争体験者でもあったこと、それが戦後の生き方にそれなりに反映していたことがあります。

二つには何よりも、史上最高の長期政権を誇る、

現在の安倍晋三首相との対比にあります。正面から議論しない・はぐらかし、お友達・仲良し政治、公私混同、私物化、そんたく、証拠隠滅ｅｔｃに、多くの国民が呆れて、アキアキしています。そういう意味では、中曽根さんには「救い」がありました。政治家としてのそれなりのけじめがありました。

中曽根さんは少数派閥でしたが、在任時に世論の支持という気流に乗った「グライダー政権」を自称していました。当時私は「世論操作能力が統治能力という時代になった」と特徴づけ、竹下内閣などと比べて世論操作を重視しなければならない少数派閥に乗っかった政権の方が、意外と長生きする傾向にあると論じたことがあります。ちなみに有名な日の出山荘での、レーガン大統領との会談の小道具を提供したのは、ブレーンで演出家の浅利慶太（劇団四季）でした。

そして中曽根さんの世論操作術をさらに「発展」させたのが、「自民党をぶっ壊す」発言で知られた小泉純一郎元首相で、小選挙区制の利用も含めて世論操作術を小泉さんにしっかり学んだのが、直弟子の安倍首相です。いわば中曽根さんの孫弟子が安倍さんという関係です。

中曽根さんの死去で思い出したのが、当研究所の初代理事長を設立以来22年間も務められた、内田一郎先生（九大名誉教授・土木工学）のことでした。先生は２０１５年４月15日、96歳で逝去されています。

内田先生は実は中曽根氏と内務省で同期入省組でした。違いはそれからです。中曽根氏は志願して幹部候補生となり、最後は海軍主計将校でした。内田先生は自ら志願したりせずに、現役中央官僚にもかかわらず赤紙による二等兵として招集されています。もちろん最後は将校になられていますが、部下を殴らないということで、上官から殴られた方でした。

根っからの民主主義者で、自ら軍隊には志願されなかったということです。

当時、逓信省の高級官僚で東条首相に抵抗したために、「懲罰のための二等兵」で招集された、松前重義氏（熊本出身で後の東海大学創設者）の場合とも違っていました。内田先生の生き方に、これからも学びたいものです。

合　掌

◎ペシャワールの会、中村 哲医師アフガンで襲撃され、逝去

（みやしたメールじょうほう・2019・12・04-2）


先ほどまで、研究所で反戦映画の心にしみる秀作、「かくも長き不在」（仏伊共同映画、1961年）に学ぶ会を、開催していました。午後のニュースでは、銃撃されたが事なきを得たとのことで、ホッとしていましたが、学ぶ会の開始前に、亡くなったことをインターネットのニュースで知り、愕然としました。

社会派の作家、火野葦平の甥っ子でもあった中村さんは、単なる医者ではなく、民衆を民衆とともに貧困から救い、社会を変える大事業を担う「大医」として、たくさんの方々に支えられて、命がけの奮闘を九州大学卒業以来、続けてきました。

昨年の7月に初めて福岡で開催された第60回全国自治体学校では、全体会の記念講演をいったんは引き受けていただいていました。ところが現地情勢が急変することが心配で、全国集会の講師を、突然キャンセルする可能性があると知りながら引き受け続けるのは、心理的なストレスが大きくて耐えられないということで、キャンセルの申し出を受けざるを得ませんでした。

その際、アフガンでも中村医師らの活動への支持が民衆ばかりではなくアフガン政府からの評価・支持が高まっても、かえって危険な目にあいかね

ない、という実情を知らされ、危惧していました。
　昨年6月に開催された、九州大学への米軍機ファントムの墜落50周年の集会での私の報告で、「同級生は右から左、ノンポリ、立身出世願望者、さまよえる子羊まで、有能な多士済々であったが、現在一番活躍し、有名なのは中村哲医師（ペシャワールの会）」と言及していたことが、私としてはせめてもの救いです。

　それから一昨日の、この「メールじょうほう」で紹介した当研究所の初代理事長・内田一郎先生（中曽根元首相と内務省の同期入省組）の愛弟子が、中村医師が近年大きな成果をあげ注目されていた、筑後川の山田堰を活かした、アフガンの灌漑・緑地化をアドバイスされていたことも紹介させていただきます。内田先生の心は、ここでも活かされています。

合　掌

第二節

花につつまれた近藤先生の遺影

（初出、「福岡の暮らしと自治」２００７年10月号に石村善治理事長からの弔辞と合わせて掲載）

研究所の設立以来の役員として活躍されてきた近藤昭三・九州大学名誉教授が急性肺炎（肺ガン）のため９月６日に福岡市内の病院で死去されました。79歳でした。７日、８日におこなわれた通夜、

葬儀には石村理事長以下参列しました。研究所の弔電は先生の勤務先であった九大総長、札幌大学学長に続いて三番目に披露されました。

先生は研究所の設立にあたっては、「宮下君を助けたい」と自ら立候補されて事務局担当の役員となられ研究所運営に奮闘されました。社団法人（公益法人）の設立許可申請の際には、設立準備委員長としてご尽力いただきました。

所報にも、「自治行政と自治体職員―ひとつの提言）（No.８）をはじめ「地方自治と裁判抜き代行案」（No.１０４）「土地問題と自治体行政」（No.１６４）「欧州評議会における『警察と個人情報保護』」（No.１７３）「水飢饉と志免町訟訴」（No.１８５）「『国民総背番号制』の復活―住民基本台帳番号制の自治省中間報告―について」（No.２１２）「Big Brother is watching you―監視カメラについて」（No.２２０）「日本の警察―そのロゴスとエトス（警察シンポでの報告」（No.２７２）など、力作を寄せていただきました。

合　掌

第三節

三上禮次先生への弔辞

当研究所の設立準備時代からの、功労者、三上禮次先生（理事、九州芸術工科大学・九州国際大学元教授）は、かねてより御闘病中でしたが、（２０１７年）２月１日に御逝去されました。生前の御援助、御貢献に、心から感謝し、衷心よりお悔やみ申し上げます。

２月３日、４日には福岡市南区の花畑シティホールで、多数の皆様に御参列いただき御通夜、御葬儀が執り行われました。研究所からは石村善治代表理事をはじめ、多数の会員が参列しました。研究所を代表して理事・事務局長の宮下が弔辞を捧げました。

＊御訃報が届いたとき、研究所代表理事の石村善治先生は、東京出張中でしたので、不肖、事務局長の私、宮下が僭越ではありますが代わって、弔辞を捧げさせていただきます。

＊先生はこの1月に89歳を迎えられたばかりでした。１００歳まで頑張る、とかつてよく聞かされたものですが、残念の極みです。

＊先生と私は年齢で20歳の差がありますが、親しくお付き合いをさせていただくようになったのは、研究所の前身の一つである「福岡自治体研究会」、ここでは今日お見えの蔦川先生や県庁職員、市民団体など多くの方々と、政令市になったばかりの福岡市や福岡県政の分析、検討を行いましたが、45年前のことでした。

三上先生からこの研究会への参加を誘われたとき、私は自

分の人生の行く手の方向、希望を感じていました。その後40年前の1977年の研究所の設立があり、この間ご指導をいただきながら、ともに歩んできました。

＊当初、任意団体として出発した研究所は、3年後の1980年には社団法人、いわゆる公益法人としての資格を、当時の亀井知事のもとで獲得しました。公益法人の設立許可にあたって県の担当者が相談した自治省担当者の言葉によれば、公益法人を規定した民法34条、これは明治29年の法律ですが、地方自治の研究・啓発を目的とした公益法人で、国や地方自治体の外郭団体ではない、いわばパトロンがいなくて会員の会費で運営するものは、明治の民法施行以来、全国で初の設立許可であるといわれて、ともに喜んだものです。

＊この間、469号に及ぶ毎月の所報「福岡の暮らしと自治」の定期発行、様々な調査、研究会、啓発事業の開催に取り組んできました。これらの諸活動は90冊に近い書籍、出版物として結実しています。これらの成果は、先生の存在を抜きにしては、語ることができません。先生は長く事業担当の理事でもあり、研究会をいくつ持てるかが重要だと力説され、そして自ら先頭に立って実践されました。

＊ここで先生の活動を特徴づける、ご自身の言葉を紹介したいと思います。それは、「私を運動家と思っている人がいるようですが、私は基本的には研究者なのです。ただ私の持論として、研究者は運動のなかから学び、運動のなかで研究者がなすべきことを見附けてゆくことだ、と考えているのです。」理論と実践の統一を、追求されてきたわけです。

＊農業政策、地代論、土地利用論から出発され、都市問題、福岡市のマスタープラン批判、博多湾埋め立て問題、まちづくり条例制定運動、水問題、ライン川体系の水利用問題、イタリア、特にボローニャのまちづくり、渡辺通りの市街地再開発事業の調査と研究など、これらは『農産物価格支持制度の研究』、『都市計画と住民参加』『都市の土地』などの御著書に、結実しています。

またアカデミズム、法律家の方々を瞠目させた著作に、18世紀のイタリアの経済学者、法律学者であるベッカリーアの『公共経済学の諸要素』という、15世紀トスカーナ語（ラテン語の俗語の一つ、これにナポリ方言・シチリア方言を加えて、現在の標準イタリア語となった）からの翻訳書があることを、ここで特に紹介しておきたいと思います。

＊先生が晩年のこの30年近く、「最終的には韓国との国境が消滅する日のための仕事」として力を尽くされたのが、日韓交流です。韓国の地方自治、農業、漁業、芸能、民俗問題の調査旅行、研究所の18回にも及ぶ日本と朝鮮半島の歴史を訪ねる旅、などこれらも研究所の業績として結実しています。

＊研究所での勉強会や会合の終了後は、近所のなじみの食堂「味ひろ」で御馳走とお酒をいただきながら、議論をかわすことも楽しまれました。本日、受付で配布いただいている、先生の最後の著作となった『市場論』も、実はこの議論の席で私が、「遺言としてまとめてください」と頼み込んで決意され、44回にわたる所報への連載が実現し、それを一冊にまとめさせていただいたものです。

＊当時、教条主義、訓詁学への反省から「マルクスの目で現代を見る」とよく言われることがあり

ましたが、先生は併せて「現代の目でマルクスを見る」との視点もお持ちでした。この言葉は、私がこの本の新聞広告に使ったキャッチコピーでしたが、いわば自分の頭で考えることを、忘れずに追求されたのが三上先生でした。その典型がこの最後の著作、『市場論』に顕われています。ぜひお持ち帰りいただき、御覧いただければ幸甚です。2冊、3冊とお持ち帰りになられても結構です。先生も喜ばれることと思います。

＊戦艦武蔵の機関室の建造を担当された造船技師の御父上のもとに、長崎市で誕生され、江田島の海軍兵学校を卒業間際の敗戦による思わぬ命拾い、旧制佐賀高校・九大工学部造船学科への進学、学生運動、私立高校での数学教師、私教連の結成、私学の民主化に携わりながらの九大経済学部への学士入学、研究者の道へと、先生の人生、人格は現実と真摯に向き合うなかから作られてきま

西堀喜久夫先生より

（会員：愛知大学教授）

三上先生へのお悔やみ状届く

（初出、「福岡の暮らしと自治」2017年3月、471号）

今日「福岡の暮らしと自治」を受け取り、封を開けたところ三上禮次先生がご逝去されたことを知りました。

心よりお悔やみ申し上げます。

また、宮下さんの意を尽くした弔辞を拝読して、九州国際大学に赴任していた短い期間でしたが当時の三上先生のお姿やお人柄を思いかえしております。

小生が大阪自治体問題研究所の事務局長を務めている頃から、福岡県自治体問題研究所は強い絆で結ばれた研究所として独特の輝きを持っており、うらやましく思っておりました。縁があって九州国際大学に赴任して、福岡県自治体問題研究所の理事に加えていただいた12年ほどは理事会に出ることが楽しみになりました。その中でも三上先生

した。

学生時代に入党された日本共産党では、当時の極左冒険主義の多数派から、不当な「除名」処分を受けた経験もお持ちです。だがそれに屈せずに原則的な初志貫徹のうえ、名誉回復を実現させ、党活動を続けられてきました。自治体選挙や国政選挙にも熱心に取り組まれました。そして身近な自治体選挙こそ大切というのが先生の持論でした。そういう方だからこそ、先ほど御紹介した、「研究者は運動のなかから学び、運動のなかで研究者がなすべきことを見附けてゆく」という、三上先生だからこそ解明できた、数々の業績をあげられた人生でした。

＊九州芸術工科大学を定年退官された後、「思いがけなく九州国際大学に再就職ができ、年金以外に毎月の給料が入るようになった」と国際大学の御在職中には、毎年末に多額の寄付金を賜り、研

の存在感が大きいと感じたのですが、宮下さんの弔辞を読んで三上先生の福岡県自治体問題研究所に掛ける並々ならぬ想いと自らの役割への自覚、宮下さんとの深い絆が良く理解できました。三上先生だけでなく、福岡県自治体問題研究所の担い手には皆そのような気持ちが満ちていたように思いますが、三上先生はその中でも際立っていると感じました。

先生のご研究は、多方面にわたっており、地域社会に起こっている課題への挑戦という研究姿勢を感じさせます。研究者としては、手を広げすぎという印象をもたれるのではないかと思いますが、原点に社会変革を志した若かりし頃からの思いがあったのではないかと思います。大きな歴史的変化を受け止め、主体的に切り開く道を福岡の地で地方自治の分野で、福岡県自治体問題研究所を拠点にまっとうされたことに心より敬意を表します。

このような方々によって支えられてきた研究所が役員、会員のみなさんのご尽力で、これからも社会的役割を果たしていかれることを心から願っています。

２０１７年２月23日
西堀喜久夫

究所を支えていただいたことも、ありがたい思い出です。一言でいえば先生は、研究所にとっても最大のプロモーターでした。

＊最後に、10年前に先生が書かれた言葉を紹介して終わりにします。

「ある詩人は『吾になすべき仕事を与えたまえ、それをしとげて死なんとぞ思う』と詠いました。私はそんな大それたことは考えたことはありません。所詮生きているうちには、また自分一人の力ではしとげることができないような途方もない仕事を自分に課して、多くの人達とともに、そのひとこまは彫り上げて死んだ、という自己満足でこの世を去りたいものです。」

＊旧制佐賀高校での三上先生の同級生で、研究所の設立当初の事務局担当であった行政法の近藤昭三・九大名誉教授が逝かれて10年、22年間理事長を務められた内田一郎先生・九大名誉教授が逝かれて2年、研究所は相次いで重鎮をなくしました。

先生方の教えを受け継いで、これからも進んでいきたいと思います。

２０１７年2月4日

福岡市南区、「シティホール花畑」にて

公益社団法人　福岡県自治体問題研究所

理事・事務局長　宮下和裕

（初出、「福岡の暮らしと自治」２０１７年2月、４７０号）

第四節

安部龍秀先生を偲ぶ

13年10月11日の博多区での安倍整形外科（安部龍暢院長）の火災で10名なくなりましたが、別掲で紹介しているのは、この（17年）3月14日の福岡地検の不起訴決定を報じる西日本新聞の記事です。

事件で浮かび上がった医療制度上の問題点も多々あると思われますが、現院長の父上で患者からは「大先生」と呼ばれていた、亡くなった安部龍秀・名誉院長のことを、ここでは一患者の立場から、ぜひともお伝えしたいと思います。

2017.3.15

西日本新聞

博多医院火災 院長不起訴

10人死亡「過失認められず」

福岡地検

焼け焦げた安部整形外科の1階部分
＝2013年10月11日、福岡市博多区

遺族「恨んでいない」

「寛大処分を」嘆願書16万通

申し訳ない。医療に身捧げる

再発防止へ対応強化も

同医院内に居住していた名誉院長夫妻と、8名もの入院患者が焼死した事件にもかかわらず、なぜ不起訴になったのか、「寛大処分を」の嘆願書がなぜ16万通も寄せられたのか、医師・医療の在り方を考えさせる事例と思います。

私は20代半ばのころから40年以上、名誉院長のお世話になりました。息子さんに院長職を譲られてからも隅っこで診療を続けておられ、最後まで名誉院長目当ての患者が引きも切らず、でした。

私ばかりでなく女房や子ども、紹介した友人、女房の教え子など、それこそ大勢の人たちが長く先生のお世話になりました。博多区の医師会長をされていた時には、当所の「福岡の暮らしと自治」の一節を引用して、長老医師の弔辞を読まれたこともありました。

私が最初にお世話になったのは25歳のころでした。新宮海岸かどこかで開催された平和友好祭で乱暴して、右手の甲の骨を骨折した時、腫れあがった手を手術せずに、丁寧にずっと揉んで正常な状態にしていただきました。うっかり手術すると神経や筋まで切ってしまい、骨はつながっても、手が正常に動かなくなることがある、とのことでした。

九州大学医学部の整形外科（そして柔道部）の御出身でしたが、その御父上は柔道の整骨師でした。その薫陶を受けられたことも、安部先生が単なる外科医ではなかった一因と思います。

私が驚かされたのは、医院が患者であふれる中で、超多忙にもかかわらず、とても話しても理解できないと私が思うようなお年寄りにも、図を描いて丁寧に説明されることでした。なぜそんなにするのかと聞くと、患者が自分の状態がどうなっているかをわからないで治療はできない、と断言されました。「インフォームド・コンセプト」などまだ話題にもなってない、45年前にそう言われましたのは、今考えても驚きです。

患者のための医療ということで、患者からは老若男女を問わず、絶大な信頼でした。私の女房の教え子が、早良区の小学校の校庭に椅子を積み上げ落下して、複雑な大けがをした際には、女房が近所の校医のところに運んでも、ちゃんと治療してくれるがどうか心配で、私がいつも薦め、自分も受診してよく知っている安部整形なら安心と、遠い博多区まで校長と一緒にタクシーで運んで、事なきを得たことがあります。

その時は、複雑な大怪我でしたので徹夜でかかりきりで治療していただき、うまくいき、子どもはみるみる快復しました。駆け付けた御両親も大感激されたそうです。後日、福岡市教委からは近所の校医に連れていかず、なぜ遠いところに運んだかと問い合わせがあり、校長もしびれていたそうです。しかし結果が大成功でしたので校長も含めて、女房も事なきを得ました。普通だったら、学校としては近所の校医まですぐ運び込めば、とりあえずの対応は終わりで、後は医師の責任ということになりますが、子どもの最良の治療を考えての、担任としての女房の決断でした。

これにはさらに後日談があります。私も心配でしたので、この子がまだ入院中に、安部先生（のちの名誉院長）に、経過と今後の見通しを聞きに行きました。その返事が誠に驚くべきものので、立派でした。

「最善を尽くして頑張ったので、まず大丈夫と思いますが、もう少し気になるところがありますので、九大整形外科ＯＢの仲間でつくっている研究会で報告して、みんなに叩いてもらいます」との返事でした。これには、すごい謙虚さと自信を持っているからこそ言えることだと、感動しました。

安部先生のことについてはまだ色々お伝えしたいことがありますが、火災で亡くなられた後の、3年前にある必要があって私が書いた備忘録の一節を紹介して終わりにします。

「安部整形外科だったら、どんな治療をしてくれただろうか。40年前からの話だが、安部さんは、なぜ痛むのか、どう治療したらよいか、患者の状況を頭に入れて自ら撮影したレントゲンを見せて、図も書いて老若男女を問わずに説明し、揉んだり、温湿布で温めたり、レーザー治療や電気治療、痛みを和らげるテーピングをかねた湿布を自ら張ってくれたりしただろう。動作をさせて診る、ということもしてくれたろう。

福岡でのスポーツ医学の草分けだけに、この痛みを和らげるテーピングが実にうまかった。温泉地獄の泥を使った温シップ、レーザー治療も草分けだった。かつて日本臨床整形外科医会の理事長も務められるなど医師会・医学界での地位も高かった。80歳を超された最近も力のみなぎった体格は昔のままだったが、繰り返しや聞き返しなどにお年を召されたと感じる時もあった。だがこれもご愛嬌のお姿で、誠に患者のため、地域のために惜しまれる」

ここで私が書いている「温泉地獄の泥を使った温シップ」の電気コンセントが、つけっぱなしであったことが、今回の火災の原因でした。

安部名誉院長の、御冥福を心から御祈り申し上げます。

（初出、「福岡の暮らしと自治」、２０１７年4月、第４７２号）

第五節

父の死と私の入院

（みやしたメールじょうほう・２０１５・０８・２６）

◎8月20日から国立病院機構九州医療センターに入院していましたが、今朝退院して、その足で出勤しています。

◎昨年インプラントを入れたことが関連したのかもしれませんが、インプラントを担当した歯科医院から口腔外科の専門医（元九大助教授）を受診してほしいと紹介され、その結果右側の鼻腔内が心配だ、ということで高度医療機関の九州医療センターをさらに紹介されて、２回の検査・診療の結果、心配された顔のガンではなく、昔高校生時代に手術した蓄膿症の再発、悪化という、ほっとする診断結果を受けての入院でした。

◎蓄膿症の手術に加えて、鼻腔から鼻の穴とをつなぐための骨に穴を開けるバイパス手術もおこなってもらいました。結果は良好で一日延びましたが、今日の退院となり、仕事がたまっているからと朝食後すぐに退院させてもらいました。入院した20日の朝からのメールだけで、迷惑メールも含めてちょうど１００通ありました。今からこれらに目を通し、必要なものは返事を書かねばなりません。会費などの郵便振替、手紙類もたくさん届いていました。これらを夕方までに処理して、夜は福岡医療団の理事会に参加するつもりです。

◎入院前の16日には、大牟田市で一人暮らしをしていた父、宮下泉が99歳6ヶ月で、他界しました。末期の胆のうガンに、腹膜炎を併発しての死去でした。研究所には自慢のかわいい長男の仕事ということで、事務所を購入するときの基金や諸カンパなど金銭的にはたいした額ではありませんでしたが、応援してくれていました。

父が83歳のとき、パーキンソン病で長年闘病した連れ合い（私の母）をなくしてからは、研究所の泊り込みの研修交流集会にもたびたび参加したほか、韓国旅行にも計7回参加してくれ、8回目は「なぜ韓国にばかり行くのか、北朝鮮だったら行くのに」といって参加しませんでした。90歳を過ぎたころから始まった研究所の山登りの会にも、皆さんの支えでたびたび参加し、今考えると、私にはとてもできないと思うような、壮健ぶりでした。

父、泉、93歳の春。桜が満開の大牟田・黒崎公園にて

亡くなる10日前までは自宅で、週4日の通いで宅老所「ふかうらの家」の親身な介護を受けての一人暮らしで過ごし、それ以降は「ふかうらの家」に泊まらせてもらっていました。結局、入院しないままでした。入院すれば、動き回り、点滴にも苦労する認知症でもありますので、拘束されてしまうことは必至でした。それでは不幸な最後になってしまうということで、「ふかうらの家」の皆さんの判断で、通いなれた「ふかうらの家」で、愛読していた「赤旗」と朝日新聞の両方を、毎日読みながら穏やかに暮らすことができました。

16日の朝6時ごろ亡くなりましたが、前日の夜も自分でトイレに行き、午前2時ごろ看護師さんが「血圧を計りに来ました」というと、「ケツの圧力を計るのですか」と冗談を言い、3時ごろにも自分でトイレに行きたがったそうですが、さすがに行くのを止めたそうです。その後意識が薄れ、亡くなりました。「最後まで宮下泉という自分を

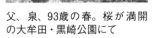

失わなかった、毅然としていた。気丈な宮下泉さんだった」と、「ふかうらの家」の施設長が葬式で語ってくれました。

亡くなった翌日の17日は、研究所の月で一番大事な集約点の、所報と雑誌の発送作業の日でしたので、大牟田市での通夜を17日に一日延ばしました。発送作業が終わってから夕方に大牟田の斎場に戻って通夜に臨み、18日に葬儀、火葬、10日祭（仏式でいう初7日）を、兄弟の協力もあり、喪主としての役目を無事果たすことができました。19日は事務所で仕事、20日も朝若干の仕事をしたうえで11時に入院しました。というわけで、大変な毎日でした。

◎21日の手術の朝の西日本新聞には、私の出したばかりの論集、「憲法を守り活かす力はどこに」の紹介を掲載いただきましたので、ルンルン気分で手術室に向かいました。私を医療センターに紹介された専門医の先生も手術に参加してくれ、口腔外科部長の先生が執刀、若いが誠実で気品のある研修医の3名という、手術は手厚い陣容でした。看護師さんたちからもやさしくしていただきました。近所の大濠公園浄化の、30年近い前の研究所の業績も入院中に主治医らに宣伝したところ、いたく感動していただきました。来週が医療センターでの抜糸ですので、その際に、当時の関係資料をお渡しすることにしています。

父の故郷の山・小岱山（熊本県玉名市・501m）をバックに三池山頂（大牟田市・388m）にて、94歳。09.5.4

第六節

林 貞樹さんを悼《おく》る言葉

6月24日、御逝去、74歳

（初出、「福岡の暮らしと自治」２０１６年7月、４６３号）

実に心優しい林貞樹さんでした。威張り散らすこともなくコツコツと努力を重ねられ、地域の方々や私たち仲間に慕われた、素晴らしい人生でした。難病の膠原病のために福岡市の社会教育職員を早期退職、闘病生活を26年間続けてこられました。

先日御見舞いに伺った際にも、ベットに臥されたままで、お話はできませんでしたが、少年のような澄んだ目を輝かして、私を見つめてくださいました。

川柳雑詠（七十七）

設立35周年記念を祝して　林　さだき

大変な苦労が実る自問研

事務局長は難事をこなす粋な人

大変な時代に光る自問研

「福岡の暮らしと自治」、２０１２年11月、４１９号より

私どもの研究所の所報、月刊「福岡の暮らしと自治」にも、「川柳雑詠」を79回にもわたって連載いただきました。この川柳は、闘病中にＮＨＫの通信教育を受けて始められたもので、ＮＨＫの全国大会でも表彰されるほどの上達ぶりでした。老人施設などでの福祉ボランティアにも励まれました。

所報に最後の御寄稿をいただいたのが、ちょうど2年前の6月発行の４３８号でした。その最後の3句を御紹介して、御悔みの言葉とさせていただきます。

合　掌

・紙オムツ　マラソン走る　夢を見る

・調子いい　オムツはきかえ　パンツはく

・デイの午後　歌やゲームで　賑やかに

第七節

脱原発の牽引者、吉岡斉九大教授ご逝去、安倍政権下での改憲反対が54％

（福岡みやしたメールじょうほう・２０１８・０１・１５）

昨日1月14日、吉岡斉《ひとし》九大教授が、ガンのためご逝去されました。64歳でした。衷心より、お悔やみ申し上げます。

先生には、東北大震災後の２０１１年10月の第31回福岡県自治体フォーラムで、「原発になお地域の未来は託せるか」と、日本でのトップの研究者として、気迫にあふれた記念講演をいただきました。

15年10月の第35回フォーラムでも「原発は、いま？」と題して、第一分科会で講演いただきました。ともに、所報「福岡の暮らしと自治」で、立派な論文の形で、掲載されています。

主著「新版　原子力の社会史」（朝日新聞出版）、「原発と日本の未来」（岩波書店）は、合計百数十冊、研究所で普及、活用させていただきました。

今年7月の全国自治体学校では、目玉講師として活躍いただくつもりでした。残念です。

今日の西日本新聞と朝日新聞の記事を、ご覧ください。あわせて「安倍政権下の改憲反対54％」との共同通信、西日本新聞の記事も紹介します。吉岡先生も喜ばれていることと思います。

第八節

訃報・吉岡直子先生（西南学院教授）

（初出、「福岡の暮らしと自治」、２０１８年３月号）

（２０１９年）１月28日、西南学院の吉岡直子教授（人間科学部・児童教育学科）が、かねてから乳がんで闘病中でしたが、永眠されました。64歳でした。心からお悔やみ申し上げます。御専攻は、教育法学で、三省堂刊の「教育六法」も御著作の一つでした。

私は御主人より2月9日に電話で御知らせをいただきましたが、御兄弟のみの御葬儀だったとのことでした。翌日の昨10日には、久留米市宮の陣の御自宅を弔問させていただきました。昨年12月までは小康状態でしたが、今年になって急変されたそうです。

私は吉岡先生が九州大学教育学部へ入学される以前に、すでに大学を卒業していましたが、当時「八鹿高校事件」を契機に、学内に暴力支配の嵐が吹き荒れたなかで、先輩として支援せざるを得ない立場に置かれ、20代半ばから後半にかけ多くの後輩学生諸君とともに、暴力の一層、学園民主化に尽力しましたが、そのなかの御一人でした。御主人もその時以来の仲間でした。

吉岡先生には、研究所の運営委員を長くお務めいただき、福岡県自治体フォーラムや、今年7月の全国自治体学校の会場として西南学院大学借用の便宜を、堤啓次郎・松見 俊の両先生とともに図っていただき、御尽力いただきました。あらためて心から感謝の意を表明します。

安らかにお眠りください。

第七章

閑話休題

第一節

シマヘビの棲む庭

随想・2018年初秋

……岳父・倉成栄吉を偲ぶ……

今日は久しぶりに自由に過ごせた日曜日でしたので、気になっていた庭の草刈りを、愛用の刈払い機でやりました。暑い日ですと体重が一気に2キロぐらいは減ります。ただし水分補強で、すぐに回復してしまうのが残念です。

シマヘビの棲む庭

草刈り中に、カエルが飛び出してきました。なぜなら、シマヘビから辛くも逃げたようでした。逃げられたのはお前のせいだと言わんばかりに、1メートルほどのシマヘビが、澄んだ目と品の良い顔でじっと私を見つめていたからです。「お前は生きていたのか、まだここに棲んでいたのか」と嬉しくなり、私の方も優しい目でしたが、お互いジッーと見つめ合いました。

そこは小さな崖、斜面地で、15年ぐらい前、子どものシマヘビが穴に逃げ込んでいくのに、出くわしたことがあります。遭遇の現場とは50センチほどしか離れていません。もう代替わりをしているかもしれませんが、懐かしい再会でした。私はもともと、ヘビなど好きではないのですが、あのヘビはどうしているだろうか、棲めなくなってどこかに行ってしまったのか、外に出て車にひかれて死んでしまったのではないかなどと、時々気になっていました。
どこかのお金持ちが広大な庭に、ビオトープを造ったところ「アオダイショウが棲みついた、自然復活」と喜んでいるとの新聞記事を思い出しましたが、わが家の場合はシマヘビの方が、先祖代々の先住民かもしれません。

今年の夏はどこでも、死にそうなほどの酷暑でしたが、わが家は2階の窓をすべて開け放して寝ると、クーラーどころか扇風機も不要でした。開けすぎると寒い日もありました。クーラーはもう何年も使っていないので、隣の息子の部屋、これは息子が自立した今では女房の洋服置場、私の第2書斎と化していますが、この2階2部屋のクーラーを今年の春に撤去しました。

佐賀県三養基郡にある基山町の、JR駅にもほど近いわが家のあたりの小字は、城ノ上《じょうのうえ》といい、北面で大宰府を守る水城と同じような小水城、「関屋土塁」があり、基山《きざん》の山頂を中心にした朝鮮式山城の基肄城《きいじょう》と繋がった地域です。南面で大宰府を守る線上にあり、古代には小字に示されるように小さな城、砦があったところと思われます。
砦のあった、山というか丘が降りてきた斜面がわが家の庭で、敷地内には江戸時代以来のハゼの木もあり、松くい虫に痛めつけられた上に91年の「風台風」で倒されてしまった大きな松も3本ありました。わが家の庭でも戦後マツタケが採れたと聞いています。周辺は江戸時代、当時盛んだった製蝋のためのハゼ山だったそうで、反対側の西側には小さな水路と道路を挟んで造園屋さんがあり、大きな山桜の木など、まわりは緑に囲まれています。庭の草刈りのついでに今日は、この水路の掃除と草刈りも行いました。

そういう事情でクーラー不要の2階ですが、1

階も梅雨時に除湿のため書斎で使うことが時々あったたけで、あとは西側にヨシズを張り巡らし、扇風機だけで過ごし、女房に恨まれました。

生まれ育った基山が嫌いだった女房も、毎日1万人以上の反応があるブログで硬派の評論発信に足掛け4年、休みなしの新聞連載作家並みに熱中していますが、その執筆中にシマヘビの棲む、東側の斜面の緑の庭を見て、「わが家は良いところにある」と、最近やっと気がついたようです。ただしシマヘビが棲んでいることは伝えていません。なぜなら恐ろしがって、今まで以上に庭の手入れなどしなくなるであろうことが、目に見えているからです。

ちなみにわが家の客間には、研究所で見学と交流に出かけた、山口県祝島の山中の石垣で見つけた、なんと2メートルもあるアオダイショウの、頭から尻尾の先まで完全に揃った抜け殻を、透明プラスチックのパイプに入れて飾っています。巨大な抜け殻を見つけた時、同行の女性から「まさか自宅に持って帰るん

野イチゴの花（上）と
赤い美しい実（左）
（4月）

付近の並木（9月）

じゃないでしょうね。奥様が嫌がりますよ」と、忠告を受けましたが、女房は諦めているようです。

この自宅の土地は、現在「関谷土塁跡」との小碑がある近所の生家（薬問屋）の末弟として育ち、旧制明善中学で当時の川口孫治郎校長（著名な鳥類・生物学者）の薫陶を受け、戦前からの野鳥研究家として名を遺した岳父が、戦後、分家・独立したさい、研究に役立つ土地として、気に入って購入したものです。当時九州で支部が一つしかなかった「日本野鳥の会九州支部」の事務局長（支部長は黒田の〝お殿様〟）で、野鳥の会・全国評議員でもありました。

60年ほど前になりますが、自宅のすぐ近所に現在の「小郡カントリークラブ」（ゴルフ場）が、水場と森に恵まれカモ猟で江戸時代から知られていた野鳥の楽園地帯に計画された際にも、果敢に建設反対運動に取り組み、鳥獣保護地域などの指定を実現させ、51年前に49歳の若さで死去しています。私は写真でしか会ったことはありませんが、調査研究の成果を掲載した「九州野鳥」という機関誌を、身銭を切ってせっせと発行し、自分の好きなことをやって早世した、古武士の風格を持った人物でした。今でもインターネットで検索すると、業績の一端が次々と出てきます。

この岳父は西日本一帯の書店の草分け、開拓者として有名な、久留米の菊竹金文堂が創業100周年記念事業で、郷土史研究者をはじめとする関係者を総結集して、「神代」から現代までの久留米市・筑後地方にゆかりの3,700名もの人物と事件をまとめて、1981年に出版した労・大作、『久留米人物史』でも紹介さ

岳父・倉成栄吉

れています。ちなみに九州・山口に「金」の字がつく書店名が多いのは、菊竹金文堂からの暖簾分けという事情によるものです。

２０１８・０９・１６夜

（初出、「福岡の暮らしと自治」、２０１８年10月、４９０号）

第二節

私流・刀の楽しみ方

…小野田源右衛門による天正7年の磨り上げ銘のある太刀・俊光に寄せて

　私の蔵刀のひとつに、日刀保（公益財団法人日本美術刀剣保存協会）のかつての古極めでは特別貴重刀剣の認定書、現在は保存刀剣（室町前期とあるが、国の記載は無し）の鑑定書が付いた俊光銘の太刀があります。鑑定書に添えられている中心《なかご》の写真（左欄）を参照下さい。

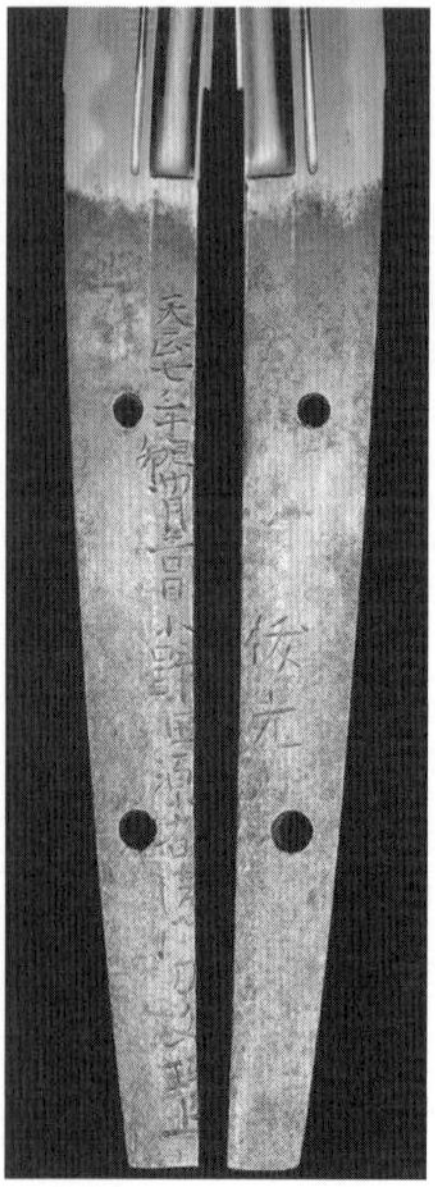

　刃長が二尺五寸八分弱（77・4㎝）、反り七分九厘（2・4㎝）で、目くぎ穴が二個。尋常でスマートな腰反りの太刀姿で、地肌は板目。刃文は小乱刃というか、小湾れに互の目や腰の開いた互の目を交え、小足入り、小沸つき、小さな金筋・砂流しもあり、刃も明るい。だが匂口が深いというか緩んでおり、いわゆる名刀の、長船・本場物にはとても見えません。脇備前ではないかと感じていました。

　諸先輩の御教示や書物で得た知識を総合してみると、体配のほか刃文が、室町期のような連なった小互の目ではなく、前述のように小湾れ風の互の目や腰の開いた互の目を交えており、雑多に多様なことなどから、南北朝期の小反り物、なかでも「古吉井」ではなかろうかと、推測しています。

　ちなみに室町時代の吉井物と区別する意味で、鎌倉や南北朝時代の吉井物は、「古吉井」と称されています。
特に「互の目の焼き頭のほうに向かい合うように降りてくる」という、吉井独特の互の目映りがあるのが特徴です。たまたま「刀剣美術」の最近号（本年（2016年）2月号）にも、鑑定刀5号として紹介された吉井吉則の太刀に対して、「地に刃文の形をそのままに映し出したような独特の特色をもった映りを見ることができる。吉井の特色をよく示した一口であり、この点を見て吉井と運ばれた方がいた。」と紹介されており、その観をいっそう深めています。

現に銘鑑類を見てみると、『日本刀銘鑑』（本間薫山・石井昌国）には、○「俊光」貞治ころ。近江。甘呂俊長の一門であろう。○「俊光」「備前長船住俊光」長光門。真光子という。文保ころ。○「俊光」「備前国吉井住俊光」吉井。貞和頃。備前。などとあります。『刀工大鑑』（得能一男）には、「備州長船住俊光」真光の子で将監長光門人。・・・（同銘が貞和ころ吉井派にあり、末は天文ころに「備州長船俊光」と切っている）とされているので、この両書にある貞和（南北朝前期）ころの二字銘の俊光あたりが、この太刀の作者でなかろうかと推測しています。

○　○　○　○

この太刀には、「天正7年己卯四月吉日　小野田源右衛門刀夊理上《すりあげ》」（ルビは筆者）との、磨り上げ銘（切付銘）があることを、大いに気に入り、注目してきました。調べてみると小野田源右衛門とは実在の人物で、天正3年（西暦1575年）の有名な長篠の戦いで、1万5千人の武田勝頼軍に包囲されながらも、守将の奥平貞昌（後の松平信昌）のもとで500名という僅かな手勢にもかかわらず、長篠城に籠城して奮戦、城を守り抜いた有力武士の一人でした。当時としては二百石という高禄の武士だったそうです。

いうまでもなく長篠の戦いは、織田信長・徳川家康連合軍が、武田軍に壊滅的な打撃を与え、信長を天下人に押し上げた天下分け目の戦いでした。武田軍によって、籠城軍の目の前で磔に処せられ、後代、武門の鑑と讃えられた鳥居強右衛門（すねえもん）のエピソードでも、有名です。

小野田源右衛門は、信長・家康の連合軍、3万8千人が長篠城の救援に駆けつけてからは、それまで家康に近侍していて、救援部隊の武将の一人として加わった貞昌の父、貞能に従って、武田軍の長篠城包囲の拠点、鳶ケ巣山砦《とびがすやまとりで》への奇襲攻撃にも参加して、武功をあげたともいわれています。

この奇襲作戦を信長に献策し、その結果、信長の特命で自ら奇襲部隊の指揮を執ったのが、家康の腹心、酒井忠次でしたが、この奇襲作戦が長篠の戦いの帰趨を決するものとなりました。

奥平貞昌は、天下分け目となったこの長篠の戦いでの奮戦を賞賛され、家康から有名な現国宝の「大般若長光」を褒美として賜り、また家康の長女、亀姫の婿ともなり、その後の一門の繁栄が保証されています。後に貞昌の子たちはいずれも「徳川家御連枝」の家柄、家康の外孫として厚遇され、家康の養子とされたり、松平姓を賜ったりしています。

また総大将の信長からは、これも現国宝の一文字・太刀（銘一、いわゆる「長篠一文字」）を下賜されたほか、信長の一字を拝領し、信昌と名前を改めています。ただしすでに武田から「信」の一字拝領していたという説もあります。

いずれにしても長篠での籠城組の戦いは、信長・家康連合軍にとって、それほどの意味を持っていました。

この太刀は、磨り上げ銘にある通り、長篠の戦いの功労者の一人、小野田源衛門によって4年後の天正7年に、磨り上げられたものです。守将である貞昌（信昌）ばかりではなく、当然、籠城戦をになった多くの武士たちが、恩賞に与かったと思われますが、想像をたくましくすれば、長篠の戦いでの褒美の太刀か、あるいは戦国の常としての、分捕り品という可能性もあります。

この太刀には、小さなものを含めれば多数の切り込み傷が残されており、その歴戦の武勇を物語っています。ハバキの下で角に止められた太樋と添え樋も、これらの補修の必要もあっての、磨り上げ時の後樋ではないかと思われます。

〈追記〉

その後、鞘師の横山学氏より、この樋は元々あったものと思われる、との指摘をいただきました。

私が尊敬する、刀匠の資格もあわせ持たれた研師の藤本政嘉氏の御教示によれば、「この俊光・太刀は当時、最も必要とされた良く切れるという点で、特に高く評価すべき太刀であり、物打ち辺りが少し減ったため、先が伏し気味となっているように、よく使い込まれたものである」とのことでした。試斬をやってきた私から見ても、なるほど長寸の割には細身で重ねも薄く、手持ちの良い、実践的な太刀と思われます。

この俊光・太刀は、たまたま入手したものですが、以上紹介してきましたように歴史的大事件の当事者が関係する、「天正七年己卯四月吉日」という、戦国時代末期の年紀が入った磨り上げ銘を持つ、極めて貴重な珍しい太刀と思われます。調べてみてから初めて知った往時を偲びながら、大いに楽しませてもらっています。愛好者冥利に尽きるとはこのことです。

なお蛇足になりますが、長篠の戦いの守将、奥平（松平）信昌の血脈を受け継いだのが、江戸時代の武州・忍《おし》藩や、九州・豊前の中津藩などです。

（２０１６年３月記）

（初出、「刀剣美術」誌・２０１７年新春号、鑑定に関する冒頭部分を除いて掲載。冒頭部分は未発表）

2017年の年賀状から

写真は、名刀で知られる延寿一派の故地、熊本県菊池市で開いた大学クラス会での余興の一コマ。「『安倍・改憲』を斬る！」の気迫で、振り下ろしたものです。

ここ菊池は、私の南北朝時代の父祖の地ではないかと空想していますので、クラスメートの前で、張り切ってのパフォーマンスでした。ただしバックが、温泉旅館のボイラー設備なのが、興醒めですが…。

３年前に突然、車に撥ねられ、左肩の靱帯を断裂という思いがけない重傷でした。「靱帯は、筋肉や骨と違って再生しません、周りの筋肉や靱帯を発達させて、日常生活に不自由がないようにしなさい」との医師の助言を受けて、リハビリに励んだ成果、やっとここまで来ました。事故後、仕事は一日も休みませんでした。

今年こそは「せめぎあいの新しい時代」を切り拓く、意義ある年にしたいものだと、念じています。これまでに増しての御指導を、よろしく御願い申し上げます。

第三節

種子島の銘鑑漏れの脇差、晴れの里帰りが実現へ

…私流・刀の楽しみ方…PART・Ⅱ

新年（2018年）早々、「種子嶋住云々」と銘の入った珍しい脇差を、尊敬する斯界の大先輩から見せられた。入手した時には、切っ先からナカゴまでのすべてがサビに覆われていて、廃棄処分にしようかと思ったそうだが、かすかに「種子嶋住」とあるのがわかり、これは珍しいと研ぎに出し、見事に甦って戻ってきたとのこと。刃渡り38・1㎝、反り0・2センチメートル、目クギ穴1個で、反りがほとんどないこともあり、私は新々刀の、寸延び短刀ではないかとの印象を持った。

先輩からは、「銘が朽ちて全部は読めないのが残念だが、種子嶋住と明記された刀は初めて見た、ついては故郷に返してやりたい」との相談を受けた。

日刀保（公益財団法人日本美術剣保存協会）の保存審査に出せば、何かわかるかもしれないということで、審査の経費は趣旨に賛同した私が、応分の協力をさせていただくこととなり、さっそく3月審査に出した。首を長くして待っていると7月中旬にやっと審査結果が届いた。

保存審査の合格で、銘文は「種子嶋住［政］［包］作」と推定も含めて読み込まれており、新刀とされていた。さっそく引き取りに日刀保まで出向き、飯田俊久事務局長（前学芸部長）に伺ってみると、銘鑑には記載されていない刀工名だが偽銘臭はない、薩摩の影響が切っ先のあたりに見える、新々刀かもしれないが、銘鑑漏れの刀工でもあり、よくわからないところもあるので、古刀と新刀とに大きく二つに分ければ、新刀の刀だと判断したと

の解説であった。

　あらためて眺めてみると、サビ刀を研ぎなおしただけに、研師のお話では作刀時の焼き幅（刃の部分）の4割近くは、研ぎ減ってしまっているのではないかということだったそうだが、なかなかどうして、切っ先もたっぷりと残っている。湾れに激しい沸、それも康継ばりのこぼれ沸が目立つ。肌は相州風の詰んだ板目肌、帽子は表裏とも大きく丸く返り、その下には飛焼風のものが、これも表裏にある。

　中心《なかご》はタナゴ風の丸みを帯び、栗尻も丸っぽい片山形、鑢目は筋違、大筋違で、「切り出しより先へ徐々に深くなる」と表現される大和守安定によく似た化粧鑢。同時にもう一つ格上の特別保存の審査も受けるべきではなかったかと、反省を迫られるほどの脇差である。

　そこで、どういう形でこの脇差を故郷に返すか、調べてみると種子島の北半分が西之表市で、中部が中種子町、南部が南種子町とわかるが、中心地の西之表市には鉄砲伝来の地らしく「種子島開発総合センター　鉄砲館」という名称の、市立の歴史資料館があることが分かった。さっそく鉄砲館の学芸員の方に問い合わせると、この方は同市の教育委員会社会教育課の文化財係の所属でもあった。同館には備前三郎国宗や波平などの有名刀工のものなど、赤羽刀も含めて二十数本の蔵刀があるが、地元種子島の刀は一本もないとのことで、驚く。

　天文十二年（１５４３年）、漂着船のポルトガル人あるいは倭寇から伝わった鉄砲を、時の領主（島主）の種子島時尭が、戦国時代の刀剣の本場、美濃の関から移住の刀鍛冶、八板金兵衛清定に命じで苦心の末、完成させたのが日本での鉄砲製作の始まりとされている。この清定の系統は幕末まで連綿と続くが、福永酔剣先生も「この系統の作品は今日ほとんど見当たらない。刀工よりも砲工として活躍したからである」（「薩摩の刀と鍔」、1965年）と解説されている。

「種子嶋住の銘が入ったお国の脇差を寄付したい」との申し出に、学芸員氏は大喜びで、ぜひ受け入れたいと鉄砲館のリーフレットや写真入りの現蔵刀のリストを、さっそく届けてくれた。寄贈者とお世話した私も、寄贈しがいがあると大喜びしたのはいうまでもない。

銘鑑や先の福永先生の著書の中に薩摩の刀工で、「［政］［包］」（以下、政包を使用）の政や包の字のつく刀工はいないか調べてみると「政照」（廻源次郎）、「政永」（廻源八）という刀工が、薩摩新々刀で伯耆守正幸と双璧をなした巨匠で、全国から弟子が集まった有名人、大和守元平の門弟として記載されている。

政照は「法城寺流。元平門、文化ころ。薩摩」とあり、政永は「元平門。文化ころ。薩摩」とある。この二人は兄弟ではないかと推測されるが、特に注目したのは政照が法城寺流とあることで、さらに精進すべく元平のもとに参じて再修業したものと思われる。刀工は師の一字を授けられることが多いので、政包も政照などの弟子、孫弟子であった可能性も十分に考えられる。

法城寺は但馬国が発祥で、江戸時代は江戸法城寺として栄えていた。ちなみに薩摩法城寺の祖は、江戸で天下の有名刀工だったのが、薩摩の藩工となって江戸初期の元禄6年、鹿児島に下向してきた肥後守吉次である。この吉次の栗尻が福永酔剣著「図録 薩摩の刀と鍔」（1970年）の押形によれば、ことごとくと言ってよいほど、先ほど政包脇差の特徴で指摘した、丸っぽい片山形であるのには驚いた。吉次の法城寺の鑢目も勝手下がりや筋違である。こう見てくると、政包も法城寺系で元平に学んだ政照の流れの幕末の刀工とみて、大きな誤りはないのではなかろうか。

せっかく故郷の歴史資料館に里帰り（嫁入り）させるからにはと、寄贈者は脇差の押形作成を改めて専門家に依頼され、私は完成した押形を博多の老舗で、品良い額装に仕上げてもらった（写真参照）。ついでに刀袋も新調し、日刀保の鑑定書が届き次第、脇差にこれらの嫁入り道具、解説もかねたこの拙稿を添えてお届けする段取りである。

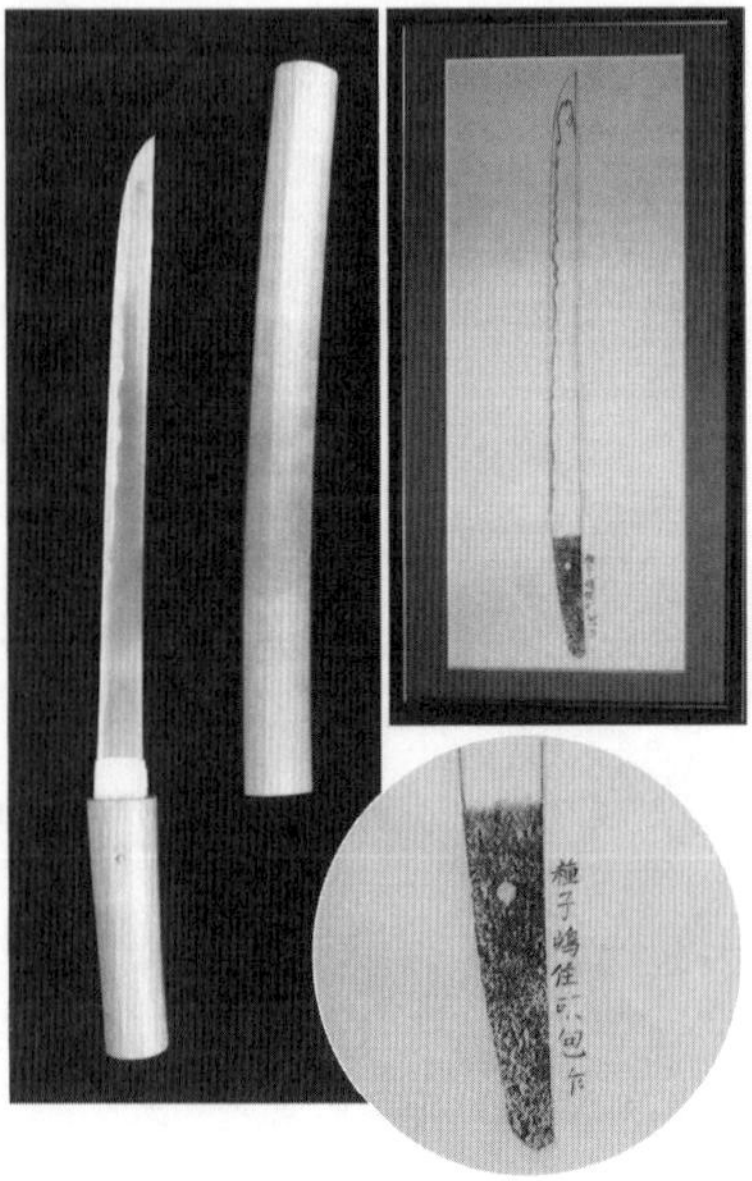

種子島開発総合センター・鉄砲館での現物展示に添えられた資料

同館に展示された暁には、種子島の住民の皆様方のうれしいお顔が目に浮かぶようで、そして何より江戸時代に御当地で誕生し、暮らした御刀と刀工自身が喜んでくれるのではと、確信している。

（2018・09・02）

〈追記〉

なお銘鑑には、良高という種子島の新々刀期の刀工が、「隅州種子島住良高、平瀬新右衛門、天明ころ。大隅」と記載されていることを、付言しておく。

日刀保より鑑定書が届いたので、さっそく脇差他一式を送付したところ、九月二十一日付で種子島開発総合センター「鉄砲館」から所長名の受贈書、担当者からのお礼の文書のほか、脇差と額装の押型、押型の中心部分を拡大したもの三枚の写真を一枚にコンパクトにまとめた図版（前ページに掲載）が届いた。

「当館の資料として、大切に保存・活用していきたいと思います。準備が整い次第、展示も検討しています」と記されており、寄贈者と二人で喜んだ次第。

その後、十月五日より展示されたことを申し添える。

（初出、『刀剣美術』誌、２０１９年５月号）

西之表市の鉄砲館に展示された里帰りの脇差

補章

「福岡みやしたメールじょうほう」２０１９年・抄

（２０１９年発信分の一部を抜粋）

りそな銀行、「核」への投融資を禁止の日本初の宣言　毎日記事1月6日

（２０１９・０１・０７）

今年、第1回目のメールじょうほうです。よろしくお願いします。

昨日の毎日新聞の報道です。なんと、りそなホールディングが、核兵器企業への投融資お断りの宣言を、国内企業では初めて出したとの報道です。

世界の金融機関は世論に敏感になっており、ＩＣＡＮが核兵器製造企業、３２９機関、55兆円の投資を行っているとのリストを公表したことが、反映しての対応です。私など、全く知らない動きで、新年早々うれしい話です。

佐賀県基山町・松田一也町長の新年のあいさつ紹介

（２０１９・０１・０８）

私は21年前から、女房の実家があった佐賀県基山町に居住していますが、「広報きやま」の新年号に掲載された松田一也町長の『新年のごあいさつ』に、感じることがありましたので、紹介させていただきます。

あるスポーツ団体の40周年のお祝いの会に出席して、リーダーの方の言葉に衝撃を受けたそうです。そのあいさつの全文と、同じ号に掲載された少年野球チーム40周年記念大会の記事を添付して紹介しますが、さわりの部分は以下の点です。

「昨年あるスポーツ団体の40周年のお祝いの会に出席した際、関係者が『過去、この団体で活躍した子供たちは、すべてが基山町に残っているか、仮に一度基山町を出た子も必ず戻ってき

ている。』と挨拶をされました。基山町からの転出が大きな課題と考えている私にとっては、大変な衝撃でした。その後、自分なりに理解し、整理したこととしては『子供の頃にある一定の感動や成功体験、達成感等を経験した者は、故郷にとどまりやすくなる。仮に遠く離れても、心のどこかに基山町が宿り、大事な時に蘇る。』ということでした。」

基山町は平成の大合併の当初にも、佐賀県庁や新自由主義の急先鋒であった地域のＪＣなどの圧力をはねのけ、鳥栖市などとの合併をお断りした1万7千人余の小さな町です。当時、保守のゴリゴリといわれていた3代前の町長のもとで、町議会は「合併しない宣言」を出して、町内を5つに分けて町長が説明しました。当時私は「賢い判断をされた」と発言した思い出があります。条件的にはかなり恵まれた町で、私は機会あるたびに「基山は安売りしてはいけません」と主張してきました。

その後の小森純一町長も自民党の支部長から町長になられた方でしたが、3期務められ、「合併はあくまでも町民が決めること」との主張を貫き通し、大分県九重町で開催された「小さくても輝く自治体フォーラム全国集会」でも、パネリストを務めていただきました。

現在の松田町長は小森町長のあと無投票で就任、平成の大合併以降3人目の町長で、1期目で新しいまちづくりの試みを続けています。鳥栖市との合併を迫る町議からの質問には「合併して良かったという事例は、寡聞にして聞いたことがありません」と明確な対応ぶりです。基山町の新しい試みについては、インターネットで検索されるといろいろ出てきます。

また野球選手に限っても、今度巨人から広島への移籍が決まった長野久義選手、横浜ＤｅＮＡの濱口雄大選手を輩出しています。毎年秋の町民体育大会の昼休みには、青少年の沢山の各種サークルが団体行進で、町民の喝さいを浴びていますが、私が拍手を送った中には少年時代の長野選手、濱口選手もいたわけです。

〈追記〉

２０２０年2月、20年ぶりに実施された町長選挙では、若手の町議会副議長が「共に考え、共に創る」とよびかけ、現職の5，３４８票に対して4，０４６票に迫った。テクニックに溺れず住民自治、自治体職員を育てることが肝心。

✉境公雄さんが、大木町町長に当選

（２０１９・０１・２３）

昨日、大木町の町長選挙の届け出が締め切られ、境公雄さん（これまで副町長）が、無投票当選となりました。

境新町長は、町職員からのたたき上げでこれまで全国的、世界的に注目されてきた大木町の環境行政、自治をつくる行政の中心になってこられました。

当研究所の、設立以来の会員で、昨年福岡市で開催された第60回全国自治体学校でも大木町での現地分科会の開催や、同町における所報や雑誌の配布集金の作業にも、取り組んでいただいてきました。

一層の御活躍を祈念いたします。

✉沖縄・県民投票2月24日、全面実施へ 画期的な「自治の勝利」

（２０１９・０１・２６）

2月24日に予定されている沖縄・県民投票に、不参加を表明していた沖縄市・宜野湾市などの5市が、県議会がこれまでの「賛成」「反対」に、「どちらでもない」を加えた3択方式に変更することを全会派一致で合意したことを受けて、「予定通り実施できる」と、沖縄県に伝え、2月24日の県民投票の全面実施が確実の情勢となりました。

紆余曲折がありましたが、このこと自体が沖縄県民の住民自治、地方自治の、画期的な大きな成果で、諸矛盾の調整能力を含めて「自治の勝利」と呼ぶべきものと思われます。

これを生み出したのは沖縄県民の党派を超えた、オール沖縄の不屈のたたかいと、それを支えた日本と世界の良識・常識の力、日本国憲法第八章に規定されている「地方自治」によるものです。

✉今朝、始発から原田線が復旧、お祝いに乗車

（2019・03・09）

昨年7月の九州北部豪雨による水害で運休していた原田線（旧筑豊本線の一部）が復旧し、今朝の始発列車から運転開始となりました。

私はいつもJR基山駅から博多駅まで通勤していますが、今日は復旧を祝って途中の原田駅で原田線に乗り換え大回りして桂川駅まで行ったうえで、篠栗線に乗り換えて博多駅まで通勤してきました。地元の老若男女、子どもたちが嬉しそうに乗り込みました。写真を4枚添付しています。

1 原田駅に入ってきたディーゼルカー（右側が原田線、左側が鹿児島本線の下り線）
2 嬉しそうに乗り込む乗客
3 客室の様子
4 復旧途上の路肩、青いビニールシートが貼ってある

残念だったのは始発駅の原田駅に、復旧を知らせ、祝う、何の掲示もなかったことでした。駅の外に出て見ても何もなし、駅員に聞いても格別の反応がありませんでした。

「お荷物路線」とのJRの姿勢がにじみ出ているのではないかと、気になります。

1

2

3

4

最近のニュースでは、豊肥線の復旧で昨年8月からの鉄道軌道整備法の改正によって、それまでの赤字の鉄道事業者に限られていた国の補助金が、黒字事業者の赤字路線にも適用拡大されて、熊本県とJRが協議を始めましたが、17年7月の九州北部豪雨以来、未復旧の日田彦山線にも適用ができるのでないかと、期待が高まっています。

✉新元号「令和」で考えたこと、パックス・アメリカーナ

（2019・04・02）

昨日、菅官房長官、安倍首相によって新元号「令和」が発表された。

これを聞いてすぐに思い浮かんだのが、「パックス・アメリカーナ」（アメリカの支配のもとでの平和）という、戦後よく使われた言葉でした。

「令和」を文字通り取れば、上からの「命令に

基づく平和」のイメージで、まさに安倍首相にピッタリ、権力主義者・国粋主義者の安倍好みの年号だという印象でした。

「令」とは日本の古い言葉では、唐に倣い中央集権国家を作り上げた（このこと自体が現在問題ではないが）際の「律令制」の「令」で、「中央集権による支配のための法」です。

徳川家康が、応仁の乱以来続いた長く続いた戦乱、いくさ世からの脱却を願ってつけたという「元和」（げんな）という年号もあり、歴史上「元和偃武」（げんなえんぶ、武器を使わない）として、よく知られています。

同時に検討された他の案のなかには、「万和」（ばんな、㊟後に石川忠久・元二松学舎大学長の考案と判明）というものもあったそうだから、これの方が「令和」より語呂もよく、共感を呼んだものと思われます。だが国酔主義者としての安倍首相が、「国書」万葉集からの出典にこだわったものと推測しています。（ただし、万葉仮名で書かれた万葉集の本文である和歌自体ではなく、序文として置かれた漢文からの出典であり、これ自体が漢籍に源流があるとの指摘が直ちに出されている）

ここで、昨日・今日のテレビ・マスコミの浮かれぶりに驚くとともに、注目しておきたいのは政治家の品格ということです。平成の際は、当時の小渕恵三官房長官の淡々とした発表、公表に当たって自分は直接登場しなかった竹下登首相のことです。

安部首相とその司令塔、菅官房長官が、我が世の春といわんばかりの高揚した表情、多弁さとで記者会見しましたが、昭和天皇の逝去直後であったという事情の違いは差し置いても、竹下・小渕両氏との違いは対照的であり、ここでも政治の劣化を痛感させられました。菅氏に至っては30日の横浜市内で、「4月1日には元号が発表される。発表するのは私だ。・・・（天皇代替わりの）行事の責任者は私だ。ぜひ皆さんにご協力、ご理解を賜りたい」と、選挙応援に天皇利用の街頭演説を行っています。まさに語るに落ちるとはこのことです。

✉今日から、研究所の入居の博多駅前ビル管理組合 理事長へ

（2019・05・19）

今日、当研究所が入居している博多駅前ビルの第46回総会が開かれ、研究所事務局長の宮下が理事長に選出されました。研究所設立以来42年間、管理組合には積極的に参加、協力してきましたが、この30数年来、（任期2年）4回目のお勤めになります。結構、大変でした。

博多駅前1丁目という都心部にしては珍しく自治のあるマンションです。3年前までは完全自主管理でがんばってきました。もう亡くなった元役員が大勢居られますが、研究所の会員として研究所も支えていただいた方も、たくさんおられました。

今日、退任された前理事長も管理組合の活動の中で、研究所の会員になっていただいています。現在は、委託した管理会社が組合の事務局長みたいなもので、理事長の仕事は実務的にはだいぶ楽になっています。

よろしくご協力のほど、お願いします。

5月25日は研究所の第42回総会です。あらためて案内を添付します。

✉サクランボのその後、九重の男池付近、原生林

（2019・05・05）

長い連休も、終わりを告げようとしていますが、いかがお過ごしですが。

まずは、花が満開の時からたびたび、お伝えてきたサクランボの状況です。すでにサクランボは完熟の状態です。鳥の格好のえさ場となっていますが、枝ごと何人かの方々にお分けして、大変喜ばれました。

次は、連休に息子一家と久しぶりに訪れた、九重の原生林、男池湧水地帯のものです。91年の19号風台風の時以来の長い付き合いの、九重町の「ひこばえ」のメンバーの「農家民宿おわて」に、お世話になり、自然を満喫し、交

流を温めました。スウェーデン、米国、フランスからのホームステイ中の若い青年男女ともめぐり逢いました。その農家でのスナップ、生後1週間ほど前に生まれたばかりの床下に隠れている子ヤギ、飾ってあった竹田の姫ダルマも紹介します。

✉ これはすごい、ニューヨーク公共図書館を映画で紹介、全国順次上映
福岡空港 米軍移設費を県市も負担

（2019・06・17）

ニューヨーク市の財政危機を再建する力となった、コミュニティ・ボード（地域委員会または委員）の素晴らしさは、宮本憲一先生からたびたび聞かされたことがありますが、今度はニューヨーク公共図書館を紹介する、3時間半もの映画の上映が始まったそうです。その概要を、昨日の毎日新聞がコラムで伝えています。

「巨大図書館での活動が淡々と紹介される。司書が電話で調べ物の相談に応じる。その数は年間3万件。高齢者にダンス、移民にパソコンを教え、就職案内や障害者向け住宅説明会まで開かれる様子は、『これが図書館なのか』と驚かされる。合間に映る会議の発言から、創設以来125年守られてきた理念を知る。「図書館は単なる書庫ではない。図書館は人。主役は知識を得たい人々」。

以上は記事からの引用ですが、詳細はコラム自体をご覧ください。

昨日紹介した福岡空港の米軍施設の移設費用が県や市も4・9億円負担している、との続報が今日の朝刊に掲載されています。

県や市の米軍専用区域の早期返還を求める地元の立場との矛盾を指摘しています。

✉世界の民主主義No.1のノルウェーの選挙、楽しく高投票率

（2019・07・05）

参議院選挙が始まりました。『危機とも転換ともなりうるせめぎあいの新しい時代』の、参議院選挙です。今日の「しんぶん赤旗」に注目すべき記事がありました。

世界民主主義ランキング第一位（英国のエコノミスト誌の研究機関の調査）で知られるノルウェーの選挙について紹介されています。若者の投票率は約8割だそうです。何度も足を運んで調べた三井マリ子さん（元都議）の講演の紹介です。

詳細は記事自体を読んでいただくとして、注目すべきはランキングに①ノルウェー、②アイスランド、③スウェーデン、⑤にデンマーク、⑥にアイルランド、⑧フィンランドと、北欧・中欧諸国がズラリと並んでいることです。

今から40年近く前になりますが、大先輩で私が御世話になった方に「ソ連より、スウェーデンなど北欧の方がよっぽど社会主義・共産主義の理想に近い」といったところ、「お前も、とうとう社会主義・共産主義の理想を失ったか」とお叱りを受けたことがありました。

この件では、歴史の審判はすでに下されていま

すが、ちなみに日本は先のランキングで22位だそうですが、何とか北欧・中欧の足下に近づきたいものです。

　ちなみに、ランキング10位までのうち８国が比例代表制の選挙制度であることにも、注目しています。

✉新大久保駅から転落した酔客を救おうとして犠牲になった李秀賢さんの父親・李盛大さんの追悼記事、対韓輸出規制に九州も懸念の記事

（２０１９・０７・０６）


　２００１年、ＪＲの新大久保駅から転落した酔客を救おうとして犠牲になった、韓国からの留学生李秀賢さんの話は当時有名になりましたが、父親の李盛大さんが妻とともに、日本社会から寄せられた見舞金で息子のような「韓国と日本の懸け橋になりたい」との思いを持つ留学生を応援する、アジアからの留学生への奨学会を立ち上げていました。奨学金を受けた留学生は８９７人にも達しているとのことです。

　その李さんが、この３月に79歳で亡くなられ、その追悼記事が今日の西日本の夕刊に出ていました。共同通信の記者の原稿、配信です。

　この記事を見て、私が九大教養部の学生自治会委員長だった時、セツルメントの新入生歓迎コンパで、終了後の恒例行事でしたが、部員が教養部のセツルメント部長を大濠公園に投げ込んだところ、思いがけなく亡くなってしまった事件を思いだしました。

　自治会室で第一報を聞いて現場に駆け付けたのですが、どこに沈んでいるかわからない、しかも夜でしたので教養部の学生寮・田島寮から寮生が大動員され、たくさんの貸しボートを借りて、竹竿で底を探って沈んでいる学生を、みんなで探し

ました。

見つかった遺体を近くの荒戸交番に運び込み、ご両親もまだ見えてませんでしたので、私が一人で一晩中、遺体に付き添いました。

こうした寮生の奮闘に感謝されたご両親が、当時出版されていた岩波新書の全冊を、皆さんの勉強に役立てて欲しいと田島寮に寄付されたことがあります。20歳になるかならないかの私には、ご両親の悲しみはもう一つ、しっかり掴めていなかったと推測します。

しかし人の親となり、子育ても終わった今では、ご両親のお気持ちはいかばかりであったろうかと、より理解できるようになったのではないかと思います。

こうした過去を思い返しながら、草の根の日韓友好を願って、実践された留学生のご両親、李御夫妻のことを考えました。
＊先日も取り上げた「対韓経済『制裁』」についての、同じく西日本夕刊の続報も、ご覧いただければ幸甚です。
ちなみに私が事務局を務める、公益社団法人福岡県自治体問題研究所では、韓国の軍事独裁政権の末期ごろからですから30年近く前から、日本と朝鮮（韓）半島との市民レベルでの交流に努めてきました。

研究所のコリア関係の、当面の取組の一端を以下、紹介します。
◎コリア研究会、8月21日（水）、18時、於・研究所、テーマ「韓半島南部と倭国との交流」、報告者・工藤常泰氏・古代朝鮮史と渡来を考える会代表
◎第21回研究所韓国旅行、11月23～25（土～月）、景福宮・閔妃殺害現場跡地、安重根記念館、国立中央博物館、西大門刑務所・独立公園、堤岩里協会、水原華城など訪問

✉ 高校生・大学生が活躍して、英語民間試験延期が実現

（２０１９・１１・０４）

御承知のように、萩生田文科相の「身の丈発言」をきっかけに、問題点が浮き彫りとなった英語民間試験問題は、安倍政権の本質を、改めて明らかにするものでした。

東大などの英文学研究者や高校などの教師も長く取り組んできた課題でした。その過程で高校生や大学生が奮闘したことが、一般のマスコミではほとんど伝えられていません。

赤旗の11月3日付の報道ですが、11月1日国会内で開催された「英語民間試験の延期を求める会」と「入試改革を求める会」が開いた集会で、13人の高校生が参加し発言したそうです。

10月31日の同紙ですが「高等教育無償化プロジェクトＦＲＥＥ」主催の国会前ラリーでの、４人の現役大学生の発言が報じられています。

私が大学に入学した53年前は国立大の授業料は年間1万2千円で、公立高校の授業料より安く、減免制度もあり特別奨学金の月8千円だけで、アルバイトもせずに生活している、貧乏学生もたくさん存在していました。

それが可能だったのです。まさに萩生田文科相が当然のごとく否定した「教育の機会均等」が、まがりなりにも存在していました。

✉ 英語民間検定導入、怒る高校生 見送り導く

（２０１９・１１・０７）

萩生田文科相の「身の丈発言」をきっかけに、問題点が浮き彫りになった英語民間試験問題は、安倍政権の本質を、改めて明らかにするものでした。

東大などの英文学研究者や高校などの教師も長

く取り組んできた課題でした。その過程で高校生や大学生が奮闘したことが、一般のマスコミではほとんど伝えられていません。」と報じましたが、昨日の西日本新聞は夕刊の一面トップで、大々的に標記の見出しで、報道を行っています。

頑張った高校生、先生方とともに喜びたいと思います。

ツイッターを舞台に、ある高校生のツイートは6,000回以上もツイートされるなど、あっという間に高校生の拒否反応の広がったこと、11月1日の国会での集会で報告する高校生の写真や高校2年生、9名が招かれスピーチなどと伝えています。朝日新聞も、本日、11月7日の報道で「民間試験 広がる追及」と、大きく報じています。

香港・中国問題の見方

（2019・11・30）

今日は午後から夕方まで、福岡市博物館で開催された「福岡の文化財保護行政―50年の歩みとこれから」に参加して、先ほど事務所に戻りました。

それこそ50年前にアルバイト、〝土方〟として多くの若き専門家が支えて始まった、草創期の埋蔵文化財行政の一端を知るものとして、参加してきました。

文化財担当者のOBと現役による、充実した膨大な資料を配布してのシンポジムでしたが、もう亡くなった私の同級生や諸先輩や、仰ぎ見た諸先達のお名前が多数登場し、感慨深いものがありました。昔から考古学関係者のなかには、住民との連携や戦後の学生運動で鍛えられた民主主義の伝統が流れていると考えていましたが、やはりそうでした。

特に県庁（九州歴史資料館）ＯＢの方が、最後に小学生は宝だ、文化財についてぜひ伝えてきたいと強調されたのには、感銘を受けました。

さて今日の本題です。

先日（11月24日）の香港での区議会選挙で民主派が85％の議席を占め、心からの喝さいを送りましたが、ここで改めて香港・中国問題を考えてみたいと思います。

＊まず、その前提として、いま日常的表現になっている「中華民族」という言葉は、いつごろから使われたと、思われますか。現代中国問題が専門の政治学者、阿南友亮・東北大学教授の卓見を紹介します。

「昨今の中国では、その圧倒的な歴史と伝統が紹介される『中華民族』という概念であるが、実はこれは19世紀末に発明された比較的新しい社会概念である。発明したのは、梁啓超という人物である。清朝に立憲君主制を導入することを主張したことによって一時的にお尋ね者となった梁啓超は、日本に亡命していた間に、中国の民衆を欧米主要国や日本の民衆のように一つのｎａｔｉｏｎ（日本語で『国民』や『民族』と訳された。以下では『ネイション』と表記する）にまとめなければいけないという思想（ｎａｔｉｏｎａｌｉｓｍ・ナショナリズム）を育み、中国系ネイションの呼称として『中華民族』という概念を提起した。」

『『中華民族』という概念は、前述のとおり、19世紀末に発明されたものであり、それ以前の中国の民衆は、決してこの概念の下に一つのまとまった社会（＝ネイション）を形成していたわけではない。同概念は、中華人民共和国では、同国の住民、海外に移住した華僑、香港・マカオ・台湾の住民を包含する共同体を表現する際に用いられてきた。しかし、毛沢東時代には、『民族』以上に『階級』が強調され、中国の民衆にとってはどの『階級』に属しているかが死活問題であった。」（阿南友亮・「中国はなぜ軍拡を続けるのか」、新潮社、2017年7月）

なお「中華民国」は1912年に成立、「中華人民共和国」は戦後の1949年に成立しています。

だが現在の中国では、かつての日本で留学生が提唱した時代の積極的意義が失しなわれ、マルクス主義・社会主義思想が基本理念でもなく、香港問題や南シナ海でのいわゆる「九段線」問題に象徴される大国主義的膨張主義的民族主義、覇権主義を国民統合、団結の中心においていると言わざるを得ません。チベットやウィグル族などへの、過酷な抑圧にはひどいものがありますが、排外的なナショナリズムは、国内の不満を国外に向けさせることにもなります。

私の恩師の具島兼三郎先生や東大新人会出身の石堂清倫らの満州での獄中記に描かれた、中国人の誇り高き昂然とした抗日・民族独立の闘士たちが想いおこされます。

＊二番目に、6月21日のこのメールじょうほうで「香港は中国本土からの『移民』で人口倍増」との見出しで、毎日新聞の坂東賢治・専門編集委員のコラム（19・6・20）を紹介しましたが、中国の大躍進政策による飢餓や文化大革命で迫害から逃れた人々の移民で、1950年の220万人から80年には510万人へと爆発的に増えたそうです。もちろん現在では、その移民たちの子や孫も大勢生まれています。

1898年に99年の租借地ということで誕生した新界ではなく、古くからの九龍や香港までたどり着けば、英国政府が亡命を認めてきた結果です。英国政府にも責任があります。

この移民の力で、米国のマンハッタン島と同じように、香港は大発展してきたというわけです。

＊三番目に、8月2日のメールじょうほうで「香港自治保証 今も有効、香港デモ、再続報」との見出しでお伝えしましたが、この時の添付資料は、故趙紫陽中国共産党元総書記の秘書であった鮑彤氏のインタビューです。西日本新聞の19・7・7付けの記事です。

以下その際の私の紹介文です。

「故趙紫陽元中国共産党総書記の秘書も務めた鮑彤氏（元党中央委員）、天安門事件後、投獄された方です。

一国二制度による香港返還を定めた1984年の中英共同宣言は『現在も有効だ』と述べ、宣言を無視する中国当局を批判しています。

今日の焦点、香港の若者たちの今後の展望に、直接関係してくる証言です。詳細は、記事を直接をご覧ください。

あまり語ったことはありませんが、私は天安門事件の被害者、北京大学関係者を匿うのに、お手伝いをしてことがあります。福岡の学者、市民、お金持ちの某政治家などの陰のネットワークで、支えることができました。

一国二制度を決めた中英の条約は現在も有効であるばかりでなく、中国はもちろん、英国政府にも「香港の自治保証」には、責任があるということです。英国政府も旧宗主国としての責任、条約の当事者としての責任をしっかり果たしてもらわねばなりません。

◎そういう意味で、11月24日の毎日に英誌「エコノミスト」の元編集長の論説が掲載されていましたので、ぜひご覧ください。

香港の市民、若者のたたかいはもちろんのことですが国際的な支援、世論が決定的に重要になっています。この対立は非和解的な対立です。中国政府の手を世界市民の『平和と民主主義のロンド』でしばることが重要です。中国内で抑圧されている諸民族のためにもです。

中国共産党はかつて「鉄砲から政権が生まれる」としてきましたが、現在でも軍事的最高権力者が、政治的にも最高権力者という国であるという、認識が特に重要と思われます。

✉宮若市の小学校跡地への14階建ての高層マンション計画など再検討へ

（2019・12・13）

この問題は、実情に合わない無謀な計画ではないかと、先日来、当研究所のまちづくり部会が、住民相談を受けていたものです。11月20・21日の住民説明会うけて12月10日の市議会で、藤島嘉子議員がただしましたが、有吉哲信市長が「強引に計画を推進するつもりはない」と、答弁しました。

地域の声に配慮せざるを得なくなったものですが、今後の展開が注目されます。

12月12日付の朝日新聞（筑豊版）で報じています。

次回のまちづくり部会は、1月14日（火）、18時30分から研究所で、テーマは「福岡県下の人口動向、過疎現象、開発問題」で、斎藤輝二・元東和大学教授が報告、みんなで討論します。ぜひ御参加ください。

✉注目した報道記事の紹介、安倍政権の「最期」を示すものか

（2019・12・20）

◎伊藤詩織さんの東京地裁・民事での勝訴には、大喝采を送りましたが、安倍さんのちょうちん持ち記者の、あまりのレベルの低さには、呆れてしまいます。安倍政権の本質を示した、事件の一つでした。

それと対照的な、輝く伊藤沙織さんには、心からの連帯の気持ちを送らせていただきます。

＊それ以外の注目した記事を、4本紹介します。

◎まず一本目が、「慰安婦」問題で新資料を、内閣府が外務省と国立国会図書館から提出を受けたものです。

当時の済南総領事から、外相への回答で「慰安婦」を進軍先に配置したい、と書かれています。今日の「赤旗」一面の報道です。詳しくは、記事をご覧ください。

◎今、テレビのニュースで、総務省事務次官が機密漏洩で総務相から処分され辞任とのテロップが流れましたが、「安倍政権の「最期」を示すものか」という表題でこのメールを書いている最中のことで、驚きました。

二本目が、「安倍政権の「最期」を示すものか」ということで、あらためて3つの記事を紹介します。

①朝日新聞の高橋純子編集委員の、安倍さんへの縁切り状です。

「オーラ消えた会見 みみっちい首相への別れの手紙」です。内容は紹介しませんが、高橋記者は若い時に、当所に取材に来られたこともありますが、才媛です。

ぜひご覧ください。

②続いては中村喜四郎氏の「政権交代10年がかりで」「オール野党育てる」との毎日新聞の本日掲載のインタビューです。

③安倍政権の目玉政策のカジノ問題の突撃隊であった、元ＩＲ担当の副大臣、秋元司衆議院の事務所と議員会館が特捜から、強制捜査を受けたとの報道です。中国の企業が絡んだ事件です。各紙で報じられました。カジノ解禁法の強行採決時の委員長、との見出しが躍っています。

三本目が、世界のニュースとなったトランプ大統領の米下院が弾劾を決定したことで、かつてのニクソン大統領弾劾の時に、活躍したエリザベス・ホルツマン元下院議員（女性）へのインタビュー、今日の読売の記事です。

下院が弾劾裁判を決定しても、実際に裁判を担当する上院はトランプ与党の共和党が多数を占めるいているということで、冷ややかな論調の同紙ですが、このインタビューは違っていました。ぜひご覧ください。

四本目が、福岡市の顔であった博多駅前の西日本シティ銀行本店が立て替えられるとの報道です。昨日の西日本新聞のスクープでした。

私見ですが、博多駅前はこの西日本シティ銀行本店に加えて、朝日ビルなど表通りのメインの建物は、昔のままで長年存在してきたことは、博多駅地区・区画整理、駅前再開発以来の市民・民間企業・福岡市行政の協同の成果ではないかと、見てきました。今日の他紙の報道によれば、西シ銀を担当した建築家の磯崎新氏も了解しているとも、報じられていますが、今後の展開が注目されます。

✉続・安倍政権の「最期」を示すものか、「今だけ・金だけ・自分だけ」

（2019・12・22）

一昨日の「メールじょうほう」は、「安倍政権の『最期』を示すものか」の表題で、お届けしましたが、今日の毎日に掲載された、藻谷浩介・日本総合研究所研究員の「今だけ・金だけ・自分だけ」との論説にいたく共感しました。藻谷さんの論説は、たびたび紹介してきましたが、今日の最後の一節を紹介します。

「一線を超えて副作用だらけの経済政策を乱発したツケが回ってくるだろう。その責任を政権外の有力政治家や、多くのまともな経済人は考えているのではないか。『好景気のうちに辞め逃げは許さない。政策の結果責任は今後も問われ続ける』」

◎あわせて紹介するのが、山家悠紀夫さんが出されたばかりに岩波新書「日本経済30年史」への「赤旗」の書評です。

山家さんは第一勧銀総研の専務理事や神戸大学教授を務められたエコノミストで、当研究所のフォーラムでも2回講演していただいています。「福岡の暮らし自治」は素晴らしい、毎月読みたいと、長く会員にもなっていただいている方です。

✉来春2・8に阿波根昌鴻さんの不屈の生涯を描いた 記録映画の上映会、九大6・2の会主催

（2019・12・30）

今年は良いことがいくつかありました。その一つが米軍ジェット機の九大墜落51周年にちなんで、沖縄辺野古に連帯する集会が、かつての九大教職組や学友会、院生協議会などからなる旧九大四者共闘会議系と旧反戦系の両メンバーが協議の末、統一集会を開いたことです。

かなりの規模の大学闘争が行われた大学での、50年後の組織だった統一集会は全国的にも、ほとんど例がないと思われます。

この九大6・2の会が主催して、来年2月8日に、標記の映画会を開催することになりました。沖縄・伊江島を中心に、全国に影響を与えた阿波根昌鴻さんの不屈の生涯を、描いた、記録映画「教えられなかった戦争・沖縄編」です。

ぜひ拡散をお願いします。カラーと白黒の案内チラシを添付します。デザイナーのK会員のご協力で完成した、素晴らしいチラシです。

番外編・追録

検事長の定年延長問題、安倍政権の勝手な解釈変更をどう見るか、検察庁法は憲法施行と同時に施行された「憲法付属法」

（２０２０・０２・１６）

安部首相が、次期検事総長への昇格を狙って東京高検の検事長の定年延長を延長させたことが、勝手な法解釈による政権の私物化、司法への介入として、強い批判を受けています。

勝手な解釈の言い分は、特別法の検察庁法には定年延長の規定がないので、一般法たる国家公務員の規定が適用できるとするものです。１９８１年、定年に関する規定が国家公務員法に盛り込まれた国会審議のさい、人事院の担当者は「検察官には国家公務員法上の定年制は適用されない」と説明し、これに従って今日まで運用されてきました。首相はこれを3日前の2月10日には整理できていなかった政府解釈（森法務大臣答弁）を、この2月13日に「解釈変更」すると明言した。これは国会の論議や、検察ＯＢなど法律専門家が批判しているように、見当違いの解釈変更、行政と人事の私物化そのものである。

だが、マスコミや法律の専門家も全く触れていない視点がある。それは、検察庁法は１９４７年5月3日に憲法施行と同時に施行された「憲法付属法」であり、１９４８年7月に施行された国家公務員法とは、挌違いの法律である、ということだ。だから、国家公務員法が、検察官の定年問題自体をなぜ規定しなかったのか、できなかったのか、ということには明白な理由がある。

天皇が主権者であった旧帝国憲法と全く違う、国民主権の立場の日本国憲法は施行にあたって、新たな主権問題、権力機構・統治機構を規定した基本的法律の根本的改廃が必要となって、憲法施行前に制定され、同時に一括して施行された経過がある。

憲法付属法を例示すれば、国会法、裁判所法、内閣法、地方自治法、会計検査院法、国家行政組織法、国籍法、公職選挙法、皇室典範、請願法、財政法などだが、国家の基本法ばかりである。国家公務員法が一般法で、検察庁法などは特別法などという表現は、現代日本の国家構造、法構造から逸脱した、見当外れの、お粗末な「見解」であることを指摘しておきたい。

検事長 定年延長問題、宮下〝説〟に援軍あらわる
毎日2・19古賀 攻・論説（２０２０・０１・２０）

検事長の定年延長問題を取り上げた、この16日付の「メールじょうほう」で、「マスコミや法律の専門家も全く触れていない視点がある」として、検察庁法が憲法付属法であるということを指摘していました。

昨夜研究所の行事を終えて、11時過ぎに帰宅して自宅で購読している毎日新聞を見直すと、２面トップに古賀攻・同紙専門編集委員の論説が掲載されており、「わが意を得たり」の心境でした。

「怒れる検事長ＯＢ」の見出しで、冒頭に憲法付属法としての検察庁法のことを、以下の表現で取り上げていました。

「国会で話題の検察庁法は、日本国憲法と同じ１９４７年5月3日に施行されている。時期からうかがえるように、民主化の基本として優先的に作られた法律だ。」

安倍政権の政権私物化の、ボロが次々と発覚しています。昨年から言ってきたことですが、まさに「天網恢恢 疎にして漏らさず」の状況となりつつあります。

著　　者

宮下和裕（みやした かずひろ）

1947年、三井三池の炭住（熊本県荒尾市大谷社宅）で出生、福岡県大牟田市で育つ、
九州大学法学部卒（政治専攻）
現在　公益社団法人福岡県自治体問題研究所事務局長理事（主任研究員兼務）、この間、
20年近く国・公・私立大で非常勤講師（地方自治論、地域文化論、地方政治論）

【著　書】
「ライン河水利用体系視察団日誌」（福岡県自治体問題研究所、1983年）
「福岡に地方自治の風が吹く―自治立法権の活用と展開」（自治体研究社、1988年）
「地方自治の現実と可能性―主権者の主体形成をめぐる対抗」（自治体研究社、1993年）
「希望としての地方自治―地域からの発言」（自治体研究社、2000年）
「監査請求と住民自治―憲法と地方自治を考える」（自治体研究社、2001年）
「国民健康保険の創設と筑前（宗像・鞍手）の定礼」（日本生協連医療部会、2002年）
「国民健康保険の創設と筑前（宗像・鞍手）の定礼」（自治体研究社、2006年、上記書の復刻改訂版）
「平成の自治体再編と住民自治―希望としての地方自治・再論」（自治体研究社、2007年12月）
「憲法を守り活かす力はどこに―希望としての地方自治・PART Ⅲ」（自治体研究社、2015年12月）
「米軍機墜落と米軍板付基地撤去運動―米軍ジェット機九大墜落50周年・学徒出陣75周年記念集会―に寄せて」（私家版、2018年6月、翌年に補遺版）

【共　書】
「市街地再開発と住民」（九州大学出版会、1984年）
「類似モーテル問題資料集」（福岡県自治体問題研究所、1984年）
「ちょっとまて公共事業」（大月書店、1999年）
「地域医療最前線」（自治体研究社、2007年）
「あの時代に戻さないために」（自治体研究社、2014年）

ほ か

地域から創る民主主義・・・福岡からの発言

2020年3月20日　　初版第1刷発行

著　者　宮下和裕
発行者　長平　弘
発行所　㈱自治体研究社
〒162-8512 東京都新宿区矢来町123　矢来ビル4F
TEL：03·3235·5941／FAX：03·3235·5933
http://www.jichiken.jp/
E-mail：info@jichiken.jp

ISBN978-4-88037-706-3 C0031